Stockholm's Apartments

北欧ストックホルムのアパルトマン

introduction

青い海と緑の森に囲まれた美しい街。
長く、きびしい冬の寒い季節を越えて、
みんなが待ちに待った、夏のヴァカンス前のある日、
私たちは、ストックホルムへやってきました。

石畳の小さな通りが続く、古い街並に並ぶ
れんが造りのアパルトマン。
アーティストたちのお部屋をたずねると、
背の高いビルが少ないこともあって、窓からは
まぶしい夏のきらめく光と、さわやかな風を感じる
素敵な眺めを楽しめます。

ストックホルムの景色と同じく
どこか透明で、輝くようなアーティストたちの
アイデアやセンスが、ちりばめられたインテリア。
27人のアパルトマンをたずねるうちに
笑顔とやさしさを分けてもらえたような気がします。
どうもありがとう。

ジュウ・ドゥ・ポゥム

contents

Anna-Ella Ahnlund & Åsa-Karin Karlen
アンナ・エラ・アーンルンド＆オーサ・カリン・カーレン　designers ･････････････ 6

Paula Lundgren　パウラ・ルンドグレン　photographer & styliste agent ･････････････ 12

Hanna Werning　ハンナ・ウェルニング　textile designer ･････････････ 18

Gabriella Agnér　ガブリエラ・アグネル　graphic designer ･････････････ 22

Cajsa Bratt & Pontus Frankenstein
カイサ・ブラット＆ポントゥス・フランケンステイン　designer & art director ･････････････ 26

Malin Grundström & Axel Isberg
マリン・グルンドストローム＆アクセル・イースベリ　graphic designer & art director ･････････････ 30

Saga Ekman　サガ・エクマン　fashion designer ･････････････ 36

Andrea Sjöström　アンドレア・ショーストローム　illustrator ･････････････ 40

Linda Karlsson　リンダ・カールソン　ceramic artist ･････････････ 44

Anna Duartes　アンナ・ドゥアテス　architect ･････････････ 50

Åsa Westlund　オーサ・ウェストルンド　fashion designer ･････････････ 53

Emelie Ekström & Alexander Crispin
エメリー・エケストローム＆アレクサンデル・クリスピン　illustrator & photographer ･････････････ 56

Anna Irinarchos　アンナ・イリナチョス　designer ･････････････ 60

Kicki Fjell　キッキ・フィエル　illustrator, fashion designer ･････････････ 64

Moa & David Lindquist Bartling
モア＆ダヴィド・リンクヴィスト・バートリング　illustrator & musician ・・・・・・・・・・・・・・・・・・・・・ 67

Malin Palm
マリン・パルム　interior designer / Design Dessert ・・・・・・・・・・・・・・・・・・・・・・・・・・・・・ 70

Charlotte Elison
シャルロッテ・エリソン　accessory designer ・・・・・・・・・・・・・・・・・・・・・・・・・・・・・・・・・・・ 74

Nina Beckman & Måns Malmborg
ニーナ・ベックマン＆マンス・マルムボリ　illustrators agent & architect ・・・・・・・・・・・・・・・・・ 80

Lilian Bäckman
リリアン・ベックマン　designer, illustrator ・・・・・・・・・・・・・・・・・・・・・・・・・・・・・・・・・・・ 84

Stefan Wennerström & Vladislava Vasovic
ステファン・ウェンネルストローム＆ヴラディスラヴァ・ヴァーソヴィッチ　designer & dentist ・・・・・・・・・ 90

Terese Öman
テレーセ・エーマン　textile designer ・・・・・・・・・・・・・・・・・・・・・・・・・・・・・・・・・・・・・・・ 93

Caroline Heiroth
キャロリン・ヘイロース　architect ・・・ 96

Sofia Hedman
ソフィア・ヘドマン　fashion stylist ・・ 100

Isabelle Halling
イザベル・ハリン　decorator ・・ 106

Alexandra Margulies
アレクサンドラ・マルグリース　textile designer ・・・・・・・・・・・・・・・・・・・・・・・・・・・・・・・・ 109

Åsa Ohlsson
オーサ・オルソン　interior designer / Design Dessert ・・・・・・・・・・・・・・・・・・・・・・・・・・・ 112

Malin Zimm
マリン・ジム　architect ・・・ 116

Stockholm Shop Guide
ストックホルム ショップガイド ・・・ 122

Anna-Ella Ahnlund & Åsa-Karin Karlen

アンナ-エラ・アーンルンド＆オーサ-カリン・カーレン　designers

アンナとオーサは、姉妹のように仲良し。
離れていると、お互いに調子がさえなくて
ボーイフレンドも、ジェラシーを感じてしまうほど。
ふたりは、スウェーデンの伝統的な陶磁器を作る
ロールストランドやグスタフスベリのお皿に
インスピレーションを得て、ポエティックな
イスやランプなどを手がける、デザインユニット。
このアパルトマンは、ブロンドヘアのアンナの住まい。
そして、ふたりが集まるクリエーションのための場所。

中上:今日のおやつは、アンナとオーサが一緒に作ったケーキ。まっ白なクリームにサンドされたベリーの赤がとてもきれい。左中:スティグ・リンドベリのデザインした「アダム」シリーズのカップ&ソーサー。
右下:白い壁に、ナチュラルな木の収納がやさしいキッチン。星の形のランプシェードがアクセント。

アパルトマンは、ふたりの女の子の秘密のアトリエ

アンナの住まいは、ストックホルムの環状道路のすぐ外側にある、1907年に建てられた歴史あるアパルトマン。建物と通りのあいだは公園があり、しっかりした壁と二重窓のおかげで、そばを通る自動車の音なども聞こえない、静かで落ち着いた部屋。ふたつの窓から1年中入ってくる太陽の光にひかれたアンナは、このアパルトマンを住まい兼アトリエにすることに。

くるくるとしたチャーミングな瞳のオーサとアンナは、ストックホルムのアートスクール、ベックマンズで出会い、たちまち仲良しに。アルスタに暮らしているオーサは毎日のようにこのアトリエに通ってきて、ふたりで一緒にクリエーションのアイデアをふくらませている。

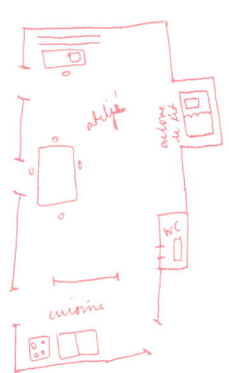

上：棚やテーブルを取り付けたり、イスをペイントしたり、ハンドメイドのアトリエスペース。左中：デスクに並ぶ白い磁器は、木の枝がインスピレーションソースになったフック。右中：窓辺には、学生時代に作ったティアラをディスプレイ。下段：デリケートだけれどあたたかい陶磁器との出会いから生まれた、ふたりの作品たち。

右上：お洋服のコントラストも姉妹のようなアンナとオーサ。壁紙はロングホルメンのショップで見つけた、ヴィンテージのリプリント版。左中：ジュースが入っていた木箱をCDケースに。右下：壁のへこみを利用して作ったベッド。陶磁器をモチーフにしたステッカーでデコレーションした壁の手前に置いた、白木と陶磁器を組み合わせたイスも彼女たちの作品。

Paula Lundgren

パウラ・ルンドグレン　photographer & stylist agent

スタイリストや写真家たちをサポートしているパウラは、
ファッションと写真が大好きな女の子。
彼女の住まいは、ストックホルムの南西にあるアスプッデン島
隣の島まで見渡せるほど、見晴らしがいい
小さなバルコニーが、パウラのお気に入り。
黄色いボーダーのパラソルの下、チェアに座って
夏はソーダ、冬はホットドリンクを飲みながら
ドールハウスのようにかわいらしく
いくつも連なる赤れんが色の屋根を見渡して…

パラソルがリゾートのよう、眺めのいいバルコニー

スウェーデンの南、バルト海に面したカールスハム出身のパウラが、このアパルトマンでひとり暮らしをはじめて、もう6年くらい。同じアパルトマンにお姉さんも暮らしているので、いつも行き来しているのだそう。

引っ越してきた当初は、まっ白でとてもシンプルだったアパルトマン。パウラはお父さんに協力してもらって、玄関に水色の葉っぱモチーフがプリントされた壁紙を貼ったり、ベッドルームをピスタチオグリーンにペイントしたり、やさしくてフェミニンなかわいらしさのある空間に。ハンドメイドが得意な彼女は、リビングのイスの生地を張り変えたり、編み物をしてクッションを作ったり、自分らしいお部屋づくりを楽しんでいる。

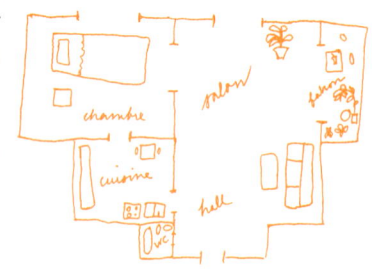

左中：ダイニングテーブルのイスは、お母さんがのみの市で見つけたもの。パウラはお気に入りのファブリックに張り替えて。左下：まるでリゾートのようなバルコニー。左ページ下：パウラの好きな家具が集まったリビングのコーナー。赤いソファーは40年代のもの。アパルトマンのお隣さんから譲ってもらった。白いひじ掛けイスは、ブルーノ・マットソンの作品。

左上：フラワープリントのエプロンは、イラストレーターのロッタ・キュールホルンが「イケア」から発表したもの。左中：冷蔵庫には、お気に入りの写真をピンナップ。ひなげしの花の写真は、お母さんが大事にしているお庭を撮影したもの。右上：コンパクトなL字型のキッチンは、白くて明るいイメージ。

左上：ベッドルームの窓辺にも植物。ガーデニングが好きなお母さんの影響で、パウラも植物を育てるのが楽しみ。右上：クリスタルのランプをコレクションしているパウラのおじいさんが、のみの市で手に入れたランプ。右下：ベッドルームはグリーンとピンクとゴールド、フレッシュでロマンティックなカラーリング。

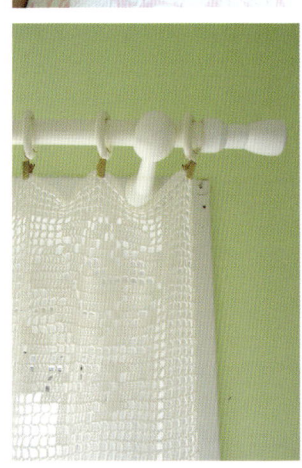

Hanna Werning

ハンナ・ウェルニング　textile designer

植物の中でかくれんぼしているような動物たち。
あざやかな色でグラフィカルにモチーフを
描き出す、テキスタイルデザイナーのハンナ。
セーデルマルム地区の南、海のすぐそばに
1994年に建てられた、まだ新しいアパルトマン。
おだやかな青い海と、島にかかる橋が見渡せる
素敵な眺めと、さわやかな潮の香り。
そして近くには公園があって、緑が豊かなことも
ストックホルムの街らしい、魅力的な暮らし。

 左上：ベッドルームの壁に取り付けたディスプレイ棚にいるピンクの象のあみぐるみは、ハンナのお母さんのハンドメイド。ベッドルームの壁紙は、1870年にスウェーデンで創業した老舗のファブリック・ブランド、ボラス社から発表したハンナの作品。左下：光がたっぷり入ってくるさわやかなリビングルーム。右中：パートナーのヨアキムが作った写真立て。

モダンでドラマチック、壁紙からこぼれるストーリー

ロンドンのアートスクール、セントマーティンズで学んだハンナは、卒業後さまざまなクリエーションを手がけていたけれど、プリントという手法にすっかり夢中に。植物や動物たちが登場するストーリー性のあるハンナのデザインは、ポスターやテキスタイル、壁紙など、さまざまなアイテムに展開されている。
国立博物館のデコレーターをしている、パートナーのヨアキムと一緒に暮らすハンナ。アパルトマンのいちばん奥のアトリエに貼られている壁紙は、ふたりが実験的アートとして取り組んだ、自動車のワイパーを使ってペイントした作品。アパルトマンの中には、ハンナが手がけたファブリックがたくさん。ロールカーテンやクッション、小さな雑貨が加わるだけでドラマチックな空間に。

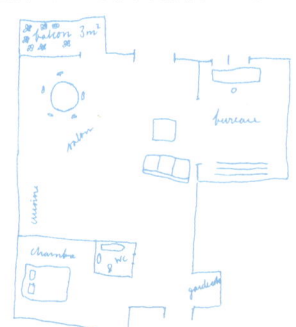

中上：キッチンにかけたロールカーテンもハンナの作品。モチーフは、赤い木の実とわがままなオオカミのおとぎ話からインスピレーションを得たもの。右中：赤いちょうちょが舞うクッションのファブリックは、ボラス社から発表した「ユートラドゴッド」。スウェーデン語で、動物の庭という意味。

Gabriella Agnér

ガブリエラ・アグネル　graphic designer

グラフィックデザイナーのガブリエラ。
彼女が手がける、オリジナルのスノーボールは
ストックホルムの若いデザイナーの作品を扱う
ショップ、デザイントリエで販売している。
小説家のオーギュスト・ストリンドベリが
暮らしていた町の近く、小さな通りに面した
アパルトマンがガブリエラの住まい。
大きな木と噴水がある中庭はとても静か。
まるで秘密の庭園のようなアパルトマン。

右上：ワインボトルを横に寝かせておける棚も、リフォームを手がけたガブリエルのお兄さんが考えてくれたもの。壁に丸く開けた窓が、まるで船のよう。
左下：ガブリエラの作品のスノーボール。クリスマスをテーマに、ユーモアを添えたワンシーンを閉じ込めたシリーズ。左ページ上：リビングルームに飾られた大きな絵画は、おばあちゃんからのプレゼント。

さわやかでフェミニン、そよ風のように軽やかなお部屋

ガブリエルのアパルトマンは、とてもコンパクトな空間。友だちのように仲良しの彼女のお兄さんが、ガブリエラのためにとリフォームしてくれたので、とても使い勝手のよい部屋に生まれ変わった。ガブリエラがいちばんうれしかったのは、小さなキッチンの壁を取り除いて、オープンな空間になったこと。リビングとの境には、カウンターを作って朝ごはんのためのテーブルに。収納のための棚もお兄さんが取り付けてくれた。

ベランダにつながるベッドルームは、窓から太陽の光がたっぷりと入ってくる明るい空間。ペールブルーにペイントした壁がさわやか。バルコニーはガブリエラのしあわせの場所。夏はラベンダーやいちごなどを育てたり、冬はクリスマスのデコレーションを楽しんだり…。

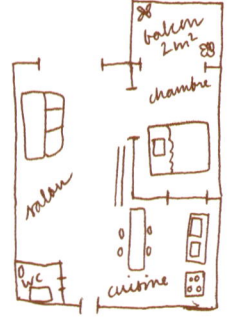

左上&左中：ガブリエラが手がけたスノードーム。右上：ベッドルームの棚には、ガブリエラのコレクションをディスプレイ。子どものころに小さなショップで見つけた黒人のお人形がきっかけになって集めはじめたものたち。左下：ベッドルームの壁にかけられた氷の結晶のようなガラスビーズのリースは、お母さんからのプレゼント。

Cajsa Bratt & Pontus Frankenstein

カイサ・ブラット&ポントゥス・フランケンステイン　designer & art director

色あざやかな翼を大きく広げる、フェニックスが
描かれたカーペットは、カイサの作品。
スウェーデンで老舗の木のおもちゃのメーカー
ブリオでおもちゃのデザインもしているカイサ。
パートナーのポントゥスは、アートディレクター。
さまざまな学校でデザインを教えながら
最近は好きな料理をテーマにした本も発表している。
7歳になるアルヴァちゃんと4歳のノラちゃん
家族4人の住まいは、色にあふれた素敵なテラスハウス

あざやかな色、モダンなデザインオブジェに囲まれたテラスハウス

バルコニー付きの2階建てのアパルトマンが、カイサとポントゥス、そして2人の女の子アルヴァとノラの住まい。南向きの窓からは、ブロックを積み上げたような形がユニークな高さ155mのカクナス塔、海の向こうにはリディンギョー島まで見渡せる。

1963年に建てられたこのアパルトマンは、いくつもの部屋に仕切られて、最初に見たときは暗い印象だったというカイサとポントゥス。ふたりは壁を少なくして、どの部屋にも光が入るようにリフォーム。1階は、キッチンとつながり広々としたリビングとバルコニー、2階には子ども部屋とベッドルーム、そして図書コーナーがある。本を出しているほど料理が得意なポントゥス。シリアル入りの手作りパンは毎朝の定番メニュー。

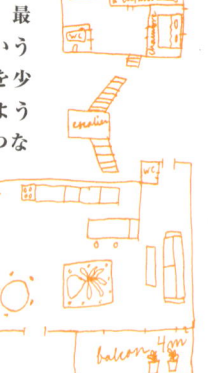

上：サロンから階段をのぼると、図書コーナー。天井から足下まで、本棚の中には本がぎっしり。カラフルなカーペットはカイサの作品。左中：「ポントゥス・バイ・ザ・ブック」は、ポントゥスの最新刊。右中：階段の下のスペースは絵画の展示スペース。大きなマトリョーシカはのみの市でみつけたもの。

  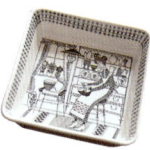

Malin Grundström
& Axel Isberg

マリン・グルンドストローム＆アクセル・イースベリ　graphic designer & art director

グラフィックデザイナーのマリンと
広告を手がけるアートディレクターのアクセル。
ストックホルムの西、ヴァーサスタンの中心に
引っ越してきたふたりは、この町がすっかりお気に入り。
この地域は再開発のプロジェクトが進んだばかり
昔からの建物も残しながら、すっきりした印象に。
セカンドハンドショップに、マニアックなレコード店
こぢんまりとして落ち着くカフェが、通りには並んで。
美しい街並には、寄り道したいスポットもたくさん！

モダンで落ち着きのある、仲良しカップルのアパルトマン

ふたりがこのアパルトマンに暮らすことに決めた理由は、町の美しさ。それからインテリアがシンプルで、リフォームが必要なかったから。以前、暮らしていたアパルトマンは、リフォームに時間がかかりすぎてしまったというふたり。キッチンの壁に、モノトーンで森が描かれた「コール&ソン」のシックな壁紙を貼ったり、フローリングをオイルで磨きあげたり、ちょっとしたアレンジとお手入れで、居心地のよいふたりのための部屋になった。
玄関から入ってすぐ左手にあるキッチンは、シンクとコンロが並列になっていてゆったり。そのままダイニングとリビングルームにもつながっているので、とても開放的。リビングルームとベッドルームについている暖炉で、1年中あたたかな空間。

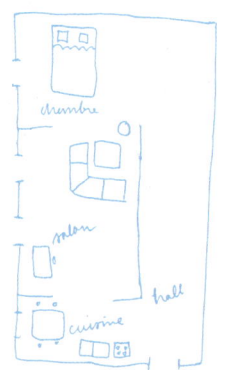

左上：アクセルが以前暮らしていたアムステルダムで見つけた、クラシックなイラストのマグカップ。左中：白いお皿の上には、ビーツがたくさん。スウェーデンではクリスマス料理にも登場するポピュラーな食材。左下：マリンがグラフィックデザインを手がけたCD。

左上：暖炉の上に置いている黒いキャンドルホルダーは、インテリアショップ「ルーム」で見つけたもの。右上：リビングルームにある、水色のタイルにおおわれた暖炉の前のソファーは、ふたりのお気に入りの場所。壁にディスプレイしているくじゃくの絵は、マリンのお父さんの香港からのおみやげ。右下：暖炉にくべる薪を入れているバッグは、ストックホルム郊外の小さな町で、老夫婦の職人さんが革と木で作ったもの。

左下：リビングルームの続きの部屋は、おだやかな美しさのあるベッドルーム。白いタイル張りの円筒型の暖炉で、寒い冬の日もあたたか。右下：やさしいキャンドルの光が好きなふたり。グラスに入ったキャンドルは、フランスのパフューム・ブランド「ディプティック」がジョン・ガリアーノのためにブレンドしたもの。

Saga Ekman

サガ・エクマン　fashion designer

海を挟んですぐそばにレイメスホルム島が見える
セーデルマルムの西部、ホルンストゥル。
この町に暮らすのは、音楽と犬が大好きという
ファッションデザイナーのサガ。
セカンドハンドショップをしているおばあちゃんの
おかげで、のみの市での掘り出し物が得意！
磨きあげたり、ファブリックを張り替えたり
ちょっと手のかかる、古いオブジェだけれど、
新しい命によみがえらせることが、いちばんのしあわせ

左上：細長い形のリビングルームは、パーテーションで仕切って半分をアトリエスペースに。エレガントなスタイルの赤いソファーは、ファルスタののみの市で見つけたもの。右中：サガの作る洋服を扱っているブティック、「シャラマラ」のショッピングバッグ。右下：60年代のミュージシャンが好きなサガ。ゲンスブールやフランソワーズ・アルディのレコードが並んでいる。

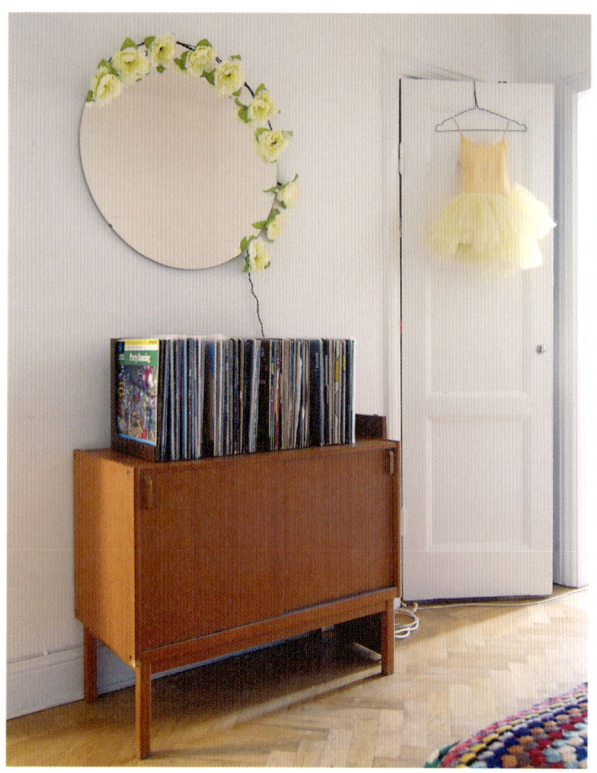

音楽とミシンとチワワの声、楽しい音にあふれたモードのアトリエ

スウェーデン第2の都市、ヨーテボリとロンドンでファッションを学んだサガ。ロンドンからストックホルムに戻ってすぐに、オリジナルの洋服作りをはじめた。フレッシュなデザイナーとして注目されているサガ。クリエーションのための材料が増えて、ミシンやファブリックが占領したリビングの半分が、いまではアトリエスペースに。
1931年に建てられたアパルトマンに、ボーイフレンドのビョルンと、ロンドンから連れて帰ってきたチワワのミーランと一緒に暮らしているサガ。みんながお気に入りの場所は、キッチンにあるテーブル。窓から入ってくる光を浴びながら、朝ごはんやコーヒータイム。季節がよくなると、バルコニーにテーブルやイスを出してのんびり過ごすことも。

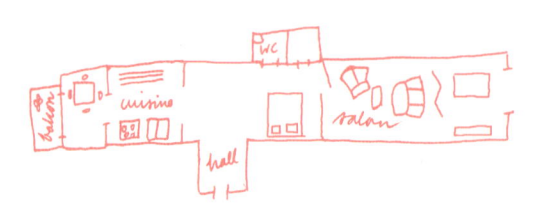

左上：サガとチワワのミーラン。ミーランとは、スウェーデン語でアリという意味。左中：バルコニーに面したキッチンに置いた、きれいなイエローのダイニングテーブルとイスは、エステルマルムのセカンドハンドショップで見つけたもの。右下：玄関を入ってすぐ左手にあるキッチンにも、のみの市で出会った食器などがたくさん。

Andrea Sjöström

アンドレア・ショーストローム　illustrator

アンドレアは、雑誌や広告で活躍するイラストレーター。
パートナーは、建築家のマルテン。
そして2人の男の子、フランスとブルーノと一緒に
ストックホルムの中心地、ノッルマルムで暮らしている。
アンドレアたちが暮らす、アパルトマンのある通りは
小さなお店が立ち並んで、にぎやかなレゲリングスガータン。
1600年ころに作られた、この地区でも古い通りのひとつ。
アパルトマンの隣は、フランスとブルーノが通う保育園。
開け放した窓からは、子どもたちの楽しそうな笑い声が…

右上：白をベースにした、コの字型のキッチン。お料理をして振り返ると、すぐ後ろはダイニングテーブル。左下：白いブレッドケースの上に置いた、修道士のポートレート入りのフレームは、シチリアからのおみやげ。スウェーデンでも人気者、ムーミンのマグカップはアラビア社のもの。右下：フィンランドのデザイナー、カイピアイネンが手がけた、アラビア社「パラティッシ」シリーズのカップ＆ソーサー。

すがすがしいお日さまと風と、仲良しファミリーの暮らし

たくさんの窓に囲まれて、明るい光に満ちあふれたアパルトマンが、アンドレアたちの住まい。長方形のスペースを4つに分けて、ダイニングキッチンとリビング、ベッドルームと子ども部屋という間取りにしている。パートナーのマルテンが建築家なので、収納や戸棚、子どもたちのベッドなど、ほとんどの家具は彼のアトリエで、オーダーメイドで作られたもの。

夏のあいだは窓を開け放して、光と風を目いっぱい楽しむという、太陽が大好きな家族。窓のすぐそばで、枝を揺らすプラムの木も気持ちよさそう。バルコニーで、15種類以上のハーブや草花を育てているアンドレア。ここで摘んだ花をまとめて素朴なブーケを作ったり、ハーブをお料理に添えたり……。

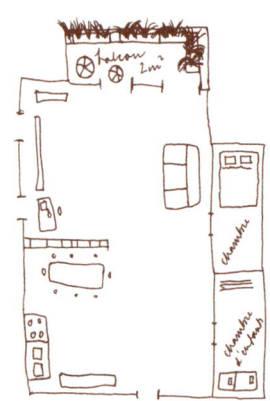

左上:スウェーデン南部、バルト海に浮かぶゴットランド島に建設中のサマーハウスの模型。いまから楽しみ！ 右上:アンドレアが表紙のイラストを手がけた、ストックホルムのイエローページ。 左中:ちょっと眠そうなブルーノくんと、ママと一緒にポップアップ絵本に夢中のフランスくん。 右下:収納付きのベッドはマルテンが作ったもの。

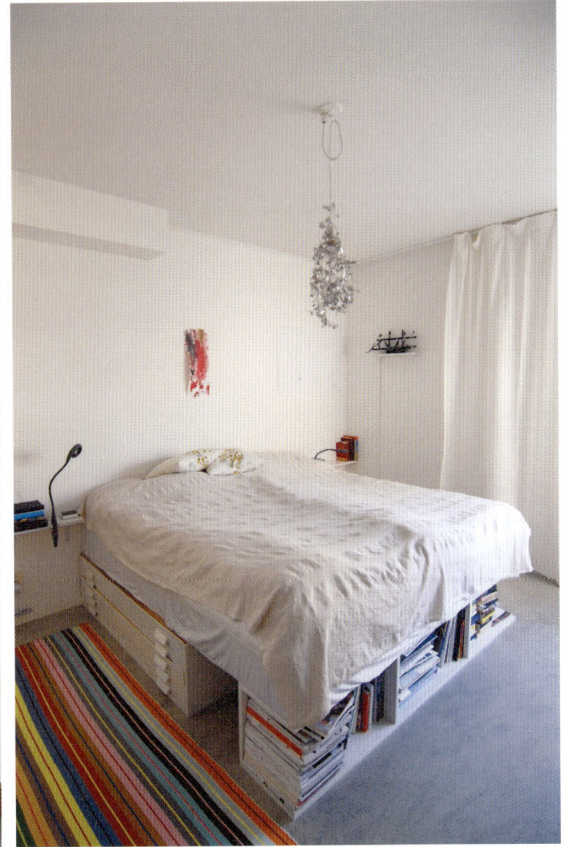

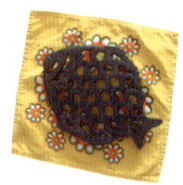

Linda Karlsson

リンダ・カールソン　ceramic artist

ぽってりとまるいもの、薄くすっきりとしたもの
お花に風景画、ストライプや幾何学模様…。
リンダのお部屋に入って、最初に目に留まるのが
リビングの壁のフックに、お行儀よく並ぶ
たくさんのヴィンテージ・カップのコレクション。
オーナメントや大きなオブジェなど、セラミックで
個性的な作品を生み出す、アーティストのリンダ。
ボーイフレンドとふたり暮らしのアパルトマンには
リンダの作品とコレクションがいっぱい！

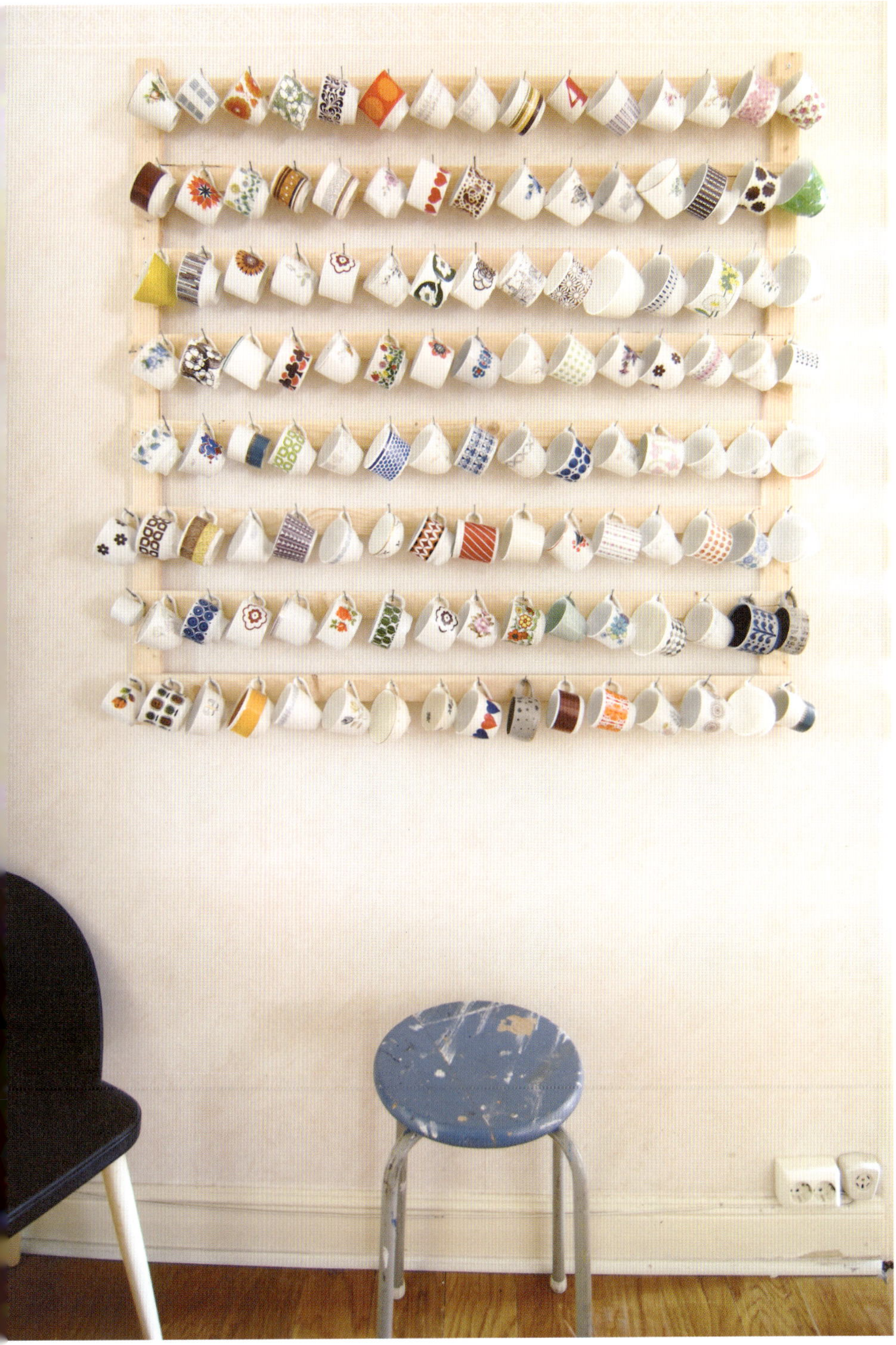

クリエーションとコレクション、大好きなものに囲まれて

リンダの両親は、アンティークが大好き。古いものを大切にする心を受け継いだリンダも、いまでは立派なコレクターに。彼女のコレクションは、100種以上あるヴィンテージのカップ、バスルームの壁にデコレーションしたソーサー、そしてキッチンに並ぶ15個の水筒……。のみの市に行くのが大好きだけれど、一緒に住んでいるボーイフレンドからは「また水筒を買うの？」とからかわれてしまうそう。このアパルトマンでリンダがいちばん気に入っているスペースは、リビングに置いたソファー。窓からふりそそぐ太陽の光が、彼女に静かなエネルギーを与えてくれる。お気に入りのオブジェに囲まれたお部屋を見渡して、ごはんを食べる朝のひとときが、クリエーションのパワーのもと。

左上：カップ・コレクションをディスプレイした棚は、リンダのお父さんからのクリスマスプレゼント。右上：窓からたっぷりと光が入ってくるキッチン。キッチンマットは、スウェーデンの伝統的な織物。右下：キッチンの壁にディスプレイしたケーキ型や小さなキッチンツールは、のみの市で見つけたもの。

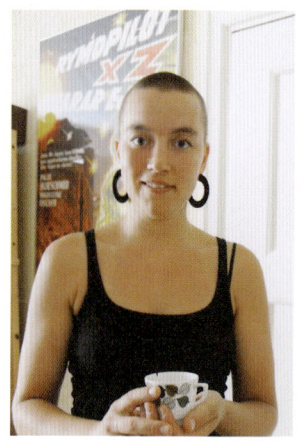

左上：リンダがセラミックで作ったオーナメント。クリスマスに商品化されたもの。**右上**：スウェーデンのハランド地方ののみの市で見つけたテーブル。壁にはリンダの作品やお気に入りのポスターなどをディスプレイ。**左下**：さまざまなプリントやあざやかな色のクッションが集まったリビングルームのコーナー。

右上：リンダが抱えているのは、セラミックで作ったバスケット。**中中**：プラスチックの黄色い妖精は、テレビ局のキャンペーングッズ。**右中**：ヨーケム・ノルドストロームがサーカスを描いたイラスト。**左下**：使い込んだ愛着のあるソファーは、生地が薄くなったところにパッチワーク。テキスタイルやステッチの色の組み合わせがかわいい！

49

Anna Duartes

アンナ・ドゥアテス　architect

スウェーデン人のお父さんとロシア人のお母さん
建築家を目指すアンナは、ハーフの女の子。
アンナが暮らすバルコニー付きの小さなアパルトマンは
クラシカルなモチーフの壁紙が、インテリアの主役。
ホールには、ロシアのおばあさんの家で見つけた
ピンクのバラが並ぶロマンティックな壁紙。
キッチンに使った壁紙は、スウェーデン生まれ
マロンブラウンのシックなフラワーモチーフ。
アンナのルーツのふたつの国がミックスされたお部屋

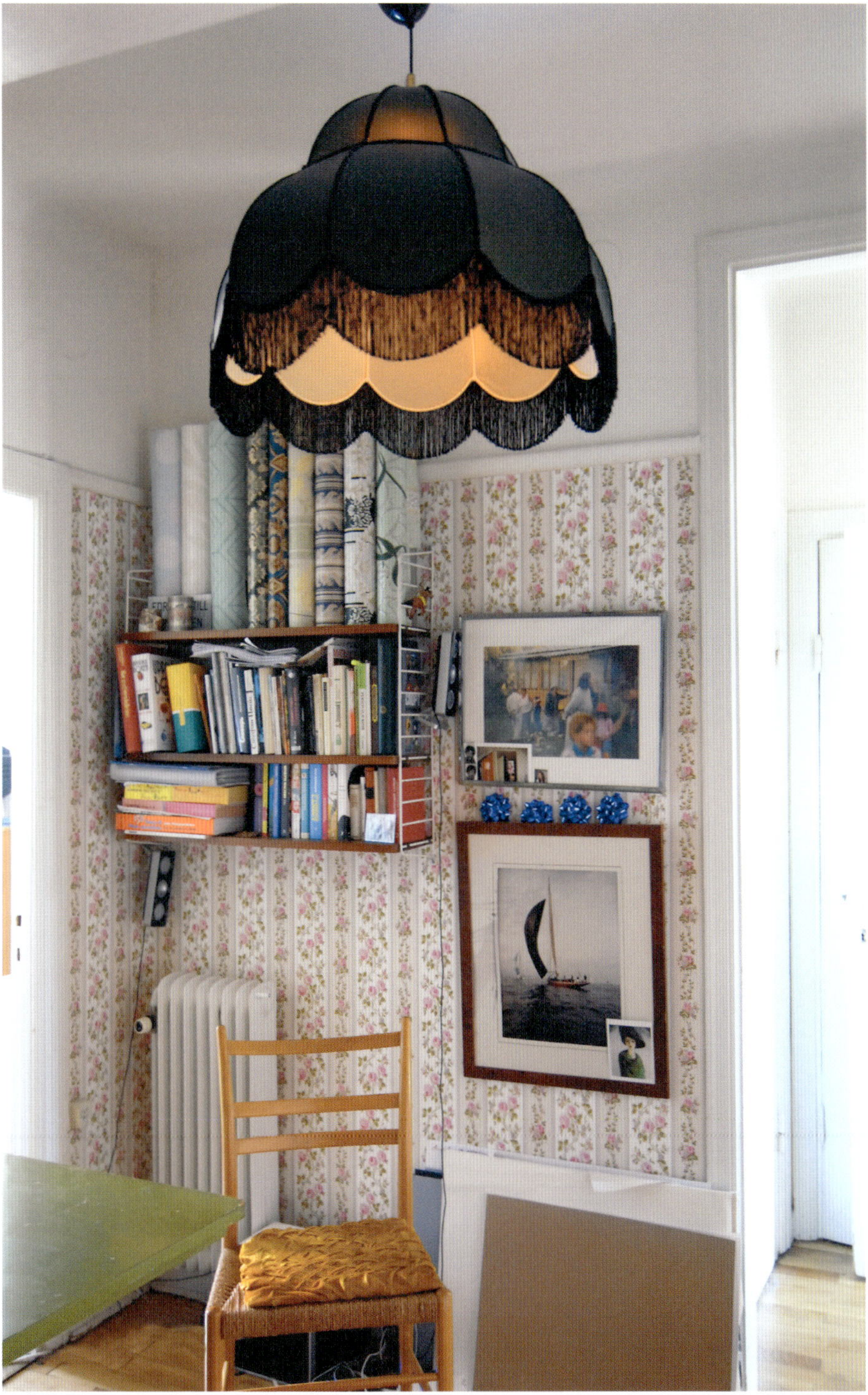

ロシアとスウェーデン、時と場所を越えてひとつに

アンナが暮らすのは、クリエーターたちが集まるセーデルマルム地区の西。いま話題のショップやカフェがたくさんある場所だけれど、すぐ近くに海が広がっていて、夏はロングホルメンのビーチで泳ぐこともできる。5階にある彼女の部屋からは空が近く、にぎやかな通りからは遠く離れているよう。町のすべてがふんわりとまっ白な雪でおおわれる、冬の景色がアンナのお気に入り。

スウェーデン、ロシア、そしてフィンランドなどのヴィンテージの壁紙をコレクションしているアンナ。特にサンクト・ペテルブルグのセカンドハンドショップは、掘り出し物と出会える場所。60年代から70年代のスウェーデンとロシアが、まるで違和感なく素敵にマッチして、アンナらしいお部屋に。

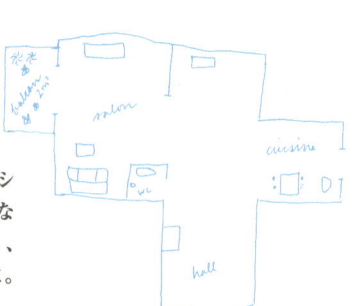

Åsa Westlund

オーサ・ウェストルンド　fashion designer

ころんとしたシルエットは木靴のよう
ハンドペイントで、モチーフが加えられた
パンプスは、デザイナーのオーサの作品。
オーサの住まいがある、クングスホルメン島は
にぎやかなストックホルムの中心、
ノッルマルムからも近く、海に囲まれた地区。
でも、もうすぐオーサはこのアパルトマンからお引っ越し
いまはお部屋の中をからっぽにしているところ。
次のアパルトマンでのインテリアも楽しみ！

お引っ越し準備のあいまは、テラスでひなたぼっこ

レディースの靴や洋服を手がけるオーサは、4年間暮らしていたアパルトマンから引っ越すことになって、いま少しずつ片付けをしているところ。赤れんが色の屋根にモスグリーンの外壁、白い窓枠が並ぶ、まるで絵本に出てきそうなこのアパルトマンは、1930年代に建てられたもの。部屋の中は、ナチュラルな木の風合いのフローリングにまっ白な壁で、とても清潔感がある空間。
10ヶ月になる男の子、オッドにとっては、物が少なくて広くなった部屋は、恰好の遊び場。部屋中を思いのままに、はいはいで進みながら冒険中。そんなオッドがテラスに出ても危なくないようにと、オーサはフロアに毛足が長いふかふかのカーペットを敷き、ステレオセットも出して、ひなたぼっこ。

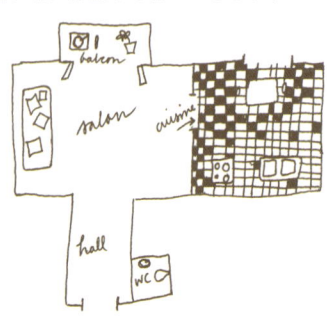

左上：オーサが子どものころ、夏を過ごしたダーラナ地方の木靴がインスピレーションソースになった靴たち。ハンドペイントはダーラナ地方の職人さんが手がけている。右上：テラスでよく使う折りたたみ式チェアは、オーサがさわやかな水色にペイント。左下：エスニックなモチーフのクッションは、パートナーのエリックのお母さんからのアルメニアみやげ。

Emelie Ekström
& Alexander Crispin

エメリー・エクストローム＆アレクサンデル・クリスピン　illustrator & photographer

イラストレーターのエメリーと
フォトグラファーのアレクサンデル
そして8ヶ月の女の子、セルマちゃんの3人が暮らす
アパルトマンは、セーデルマルムの丘の上。
家々のカラフルな屋根と、緑の木々のむこうには、
エレガントでロマンティックな建物として
有名なストックホルム市庁舎の3本の塔。
アパルトマンの窓から眺める、パノラマの風景は
まるで絵はがきの中の世界のよう…

右上：木の持ち手のナイフは、エメリーの両親のセカンドハウスがあるスペインのソレールを訪れたときのおみやげ。右下：キッチンに取り付けた棚は、エメリーのデザイン。左ページ：窓辺にパソコンを置いた、エメリーのアトリエスペース。木のピアノは、エメリーが子どものころから弾いていた大切なもの。

ストックホルムの絵はがきのような眺めにひとめぼれ

イラストレーター、そして書籍の装丁デザインを手がけるデザイナーとして活躍するエメリー。アレクサンデルは、インテリア雑誌などに作品を発表しているフォトグラファー。そんなクリエイティブなカップルは、窓がたっぷりとられた、この部屋からの眺めにひとめぼれ。
インテリアは自分たちらしいスペースにしようと、引っ越してきてすぐ、リフォームに取りかかった。
広々とした空間にするために、まずは壁をなくして、部屋のまん中にあったキッチンをコーナーに移動。エメリーがお仕事するスペースからリビング、キッチンまでが、ひとつのオープンスペースに生まれ変わった。建築当時の面影を残しているのは、窓がすべて出窓になっていること。このクラシックなスタイルが、ふたりのお気に入り。

左：アレクサンデルが写真を手がけたインテリアブック「スカンディナビアン・スタイル」。
右下：リビングの壁には、アレクサンデルが撮影した写真をディスプレイ。ロンドンに暮らしていたときのアパルトマンからの風景。マルチボーダーのひじ掛けイスは、アレクサンデルのおじいさんから受け継いだ1910年代のもの。

Anna Irinarchos

アンナ・イリナチョス　designer

アートスクールを卒業したばかりのアンナ。
彼女の作品は、アクセサリーをかけて、
その輝きもインテリアにできるテーブルランプ。
マグネットでできた、ランプシェードには
カトラリーや好きなものをくっつけて
自由にデコレーションを楽しんでみたり。
そんなユニークなアイデアを持つデザイナー、
アンナの住まいは、ストックホルムの西、
公園が多く、静かな町、ヴァーサスタデン。

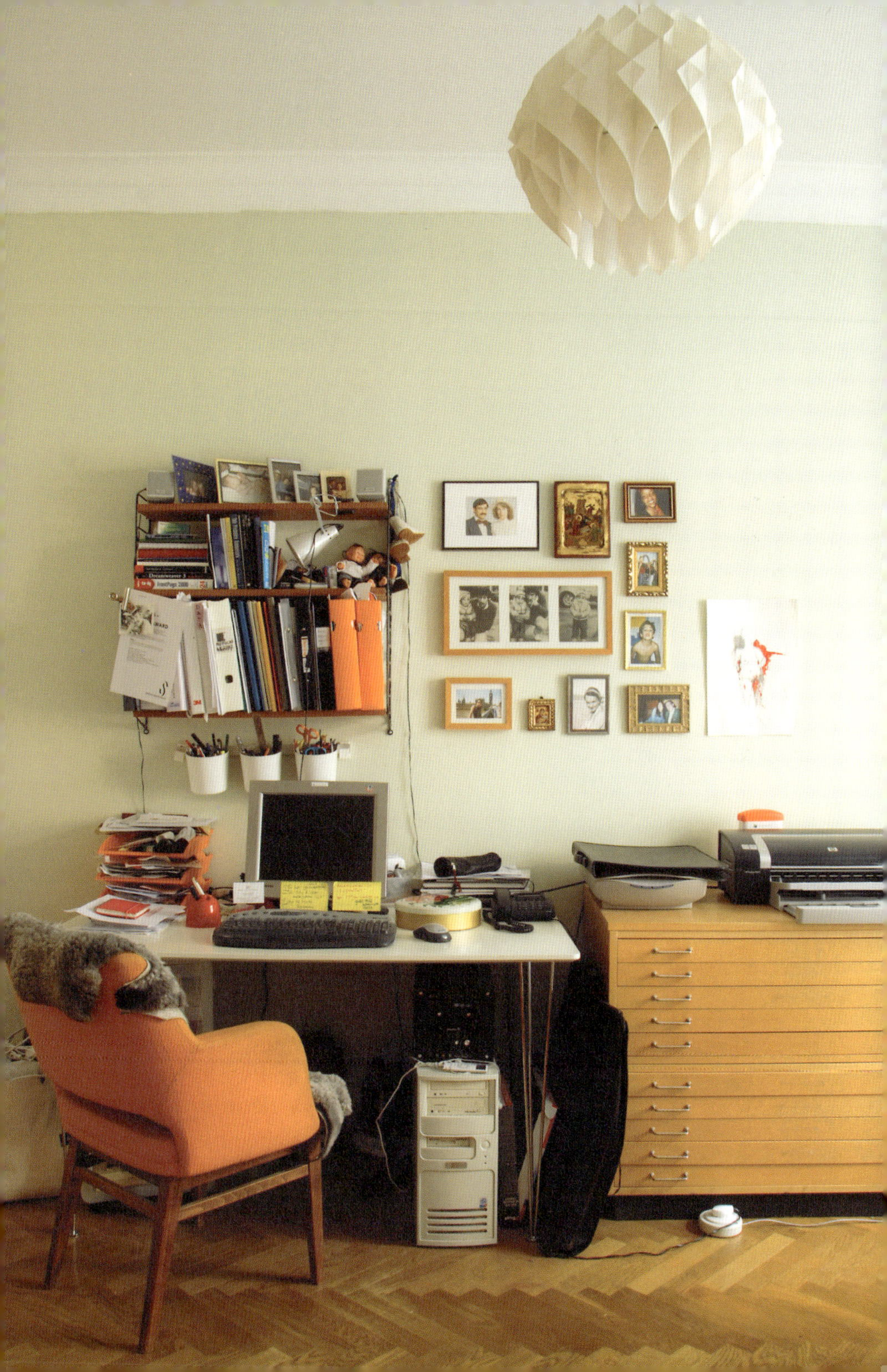
Dreamweaver 3
FrontPage 2000

左上：フェミニンなスタイルが好きなアンナのお気に入りのドレスたち。右中：ベッドルームに置いた小さなドレッサーは、おじいさんからのプレゼント。下段：アンナが手がけた作品たち。左からシリコンで作ったランチョンマット、王冠をモチーフにしたオブジェ、アクセサリーをかけておけるランプ。王冠のオブジェは「スヴェンスク・テン」で商品化された。

おいしい料理と楽しいおしゃべり、お部屋で過ごすやさしい時間

スウェーデン、そして地中海に浮かぶ島キプロス、ふたつの国にルーツを持つアンナ。キプロスの気質を受け継いで、大きなパーティを開くのが大好き。たくさんの料理を準備して、アパルトマンに10人以上の友だちを招くことも。特にスカンディナビアの静かな冬には、毎日のように料理を囲んで友だちとおしゃべりを楽しむ。そう、まるで心まで温めるかのように。

天井の高い、このアパルトマンは1908年に建てられたもの。クラシックな中にモダンさを取り入れるのが、アンナのスタイル。シンプルでまっ白なリビングのアクセントに、ヴィンテージのグリーンの壁紙を貼った小さなディスプレイ棚を取り付けた。思いついたアイデアは、すぐに形にして、自分らしいインテリアを楽しんでいる。

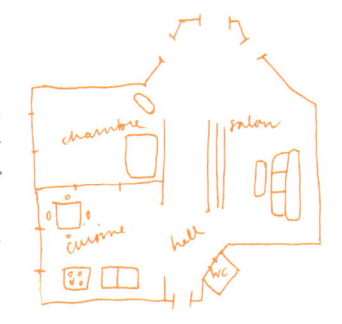

Kicki Fjell

キッキ・フィエル　illustrator, fashion designer

キッキが暮らす、ヨハンネスホフは
大きなスポーツ・スタジアムがある町。
遠くからも目立つ、白いドームのグローベンは
アイスホッケーやコンサートが開かれる会場。
そのそばのセーデルスタディオンは
サッカーの試合などが行われるスタジアム。
キッキのアパルトマンは、1階にあるお部屋。
ここは実は以前、自転車置き場だったところ。
窓の外にはお庭が広がって、まるで一軒家のよう。

CFHPAPERCUTS

木立に囲まれた、テラス付きの小さなウィンターハウス

キッキは友だちのウルリーカと一緒に「デディケイティッド・フラワー・オブ・ファッション」というブランドを立ち上げた、洋服デザイナー。ステッチなどこだわったディテールとカラフルな色使いで人気を集めていた洋服作りを、いまはすこしおやすみして、それぞれのプライベートな活動に取り組んでいる。キッキは雑誌でのイラストレーションを手がけたり、アートスクールで学生たちにデザインを教えたりしている。

小さなテラスがあるキッキのお部屋は、木立に囲まれていて、町の喧噪から離れ、のんびりした雰囲気。サマーハウスを別に持っているキッキにとって、ここは冬の家。ソファに座って、窓の外を眺めながら編み物をしたりして過ごす。

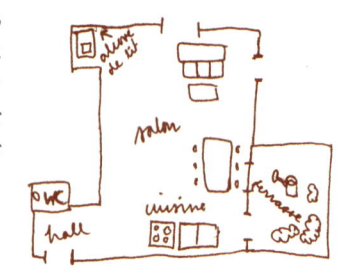

Moa & David Lindquist Bartling

モア&ダヴィド・リンクヴィスト・バートリング　illustrator & musician

ソーデルマルム地区の西、ホルンストゥル。
海沿いの通りで、毎週開かれている
ストリートマーケットは、フレッシュな
アーティストたちが作品を発表する場所。
クリエイティブなパワーにあふれる町に暮らす
モアとダヴィド、そして1歳のボニーちゃん。
リラの花が咲く、小さな庭が窓から見える
レトロなインテリアのリビングには、
イラストレーターのモアの作品をディスプレイ。

クラシカルなプリントをミックス、レトロなドールハウス

テキスタイルのデザインやCDジャケット、雑誌などでイラストを手がけるモアと、シーザーズ・パレスというロックバンドのベーシストとして活躍するダヴィド。3人家族の住まいは、ちょっとレトロなインテリア。
玄関やリビングルーム、ベッドルームに、それぞれ違うデザインの壁紙が貼られている。70年代、80年代のお母さんの洋服を上手に着こなしているモアのスタイルとクラシカルなプリントの壁紙は雰囲気ぴったり。この壁紙だけでなく、ちょっとしたディテールは、もともとこの部屋に暮らしていた、手作りが大好きな大工さんが手がけたもの。子ども部屋に取り付けられたミラーボール、リビングにある存在感たっぷりのコラージュでおおわれた棚など、そのユニークなインテリアは、ふたりのお気に入り。

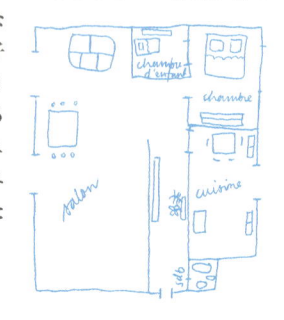

左上：セカンドハンドショップで見つけた、猫の絵などが並ぶキッチンのコーナー。右上：ゴールドのキャンドルホルダーはおじいさんから贈られた結婚のお祝いの品。左中：食品ストックのドアには、スウェーデン語で「セラー」と書いているドアプレート。右下：キッチンは、オレンジの壁紙とグリーンの床、赤いイスの組み合わせがドールハウスのよう。

Malin Palm

マリン・パルム　interior designer / Design Dessert

ゴテンバーグのデザインスクールで出会った
マリンとオーサは、ふたりで
デザイン・デザートというユニットをスタート。
キッチンの小さなテーブルを照らす
花の形のランプシェードは、ふたりの作品。
パートナーのマルテンと一緒にマリンは
セーデルマルムのアパルトマンに暮らしている。
大きなお腹にしあわせそうな笑顔のマリン。
もうすぐ、ふたりは新しい家族を迎える予定…

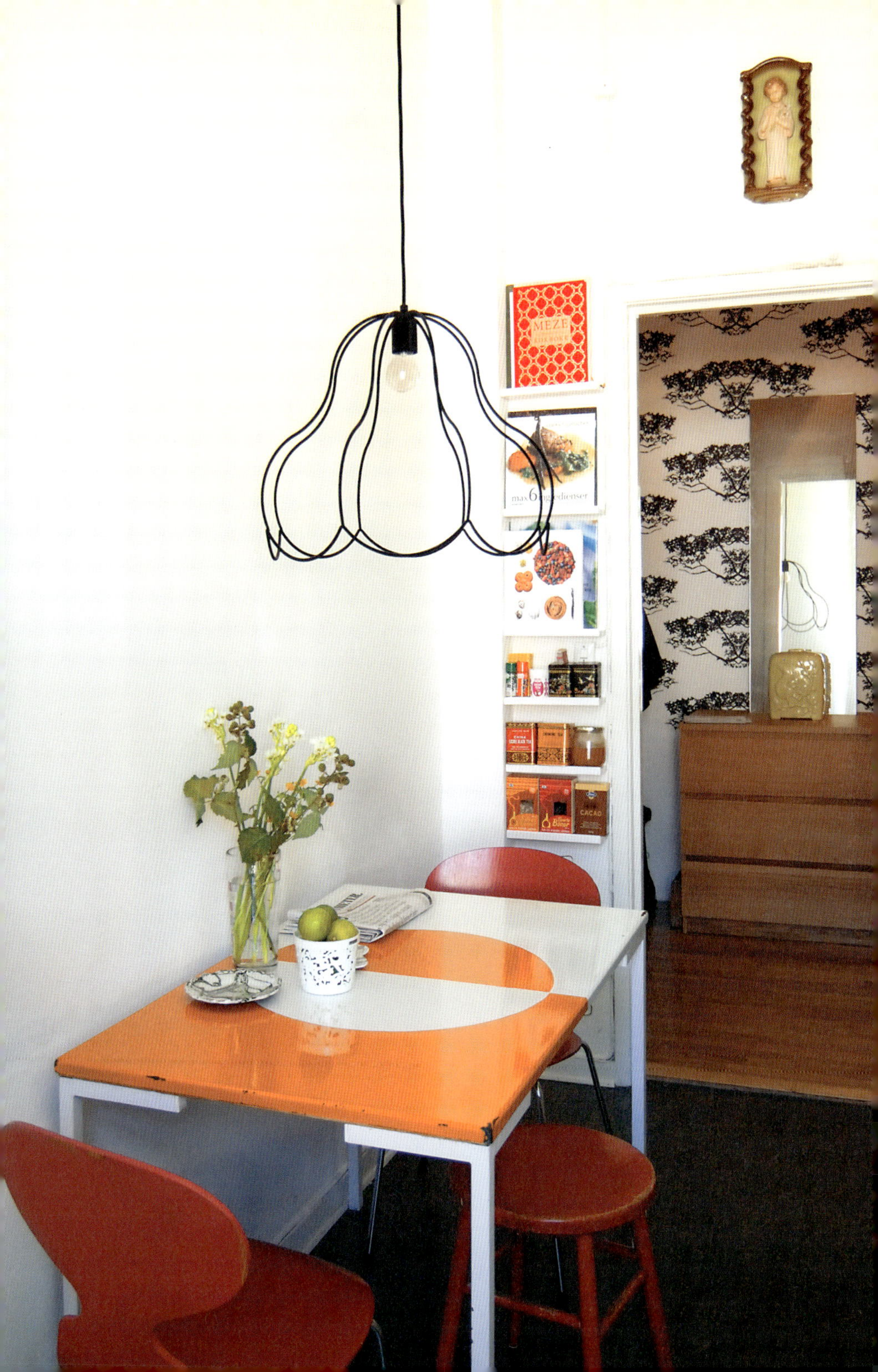
MEZE
CACAO

中上：キッチンカウンターの上のお皿は、スウェーデンの南東部、カルマルのアンティークショップで見つけたもの。右上：チョコレートの本と、マリンが子どものころから使っているスティグ・リンドベリの「スピサ・リブ」シリーズのお皿をディスプレイ。中：アパルトマンのいちばん奥にあるリビングルーム。右下：デンマーク生まれの木のイスはマリンのお気に入り。

もうすぐ天使がやってくる、グリーンに囲まれたシックなオアシス

セーデルマルム地区の中心に建つ、黒い屋根に黄色い壁のアパルトマンが、マリンとマルテンの住まい。4階にあるお部屋は、にぎやかな通りの音も聞こえず、とても静か。庭の木々の葉っぱや、アパルトマンの壁をはうツタが、窓辺を季節の色で飾ってくれる。

玄関を入ったホールは、モノトーンのプリントの壁紙がモダンな印象。その右側にキッチン、ベッドルーム、リビングルームと並んでいる。いちばん奥のリビングルームは、まっ白な壁と大きく開いた窓が気持ちのいい空間。プラム色でペイントしたベッドルームは、ファブリックも落ち着いたトーンでまとめて、ベッドサイドを照らすランプの赤いコードや、小さなプランターの緑が映えるシックな空間。

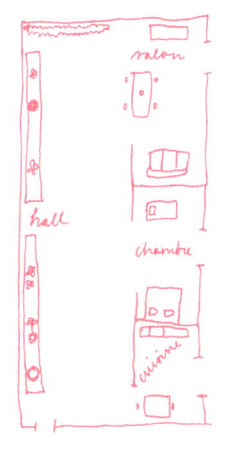

Charlotte Elison

シャルロッテ・エリソン　accessory designer

メーラレン湖に浮かぶ、ガムラスタンは、
スウェーデン語で、古い街という意味。
王宮や教会をはじめ、通り沿いに並ぶ
建物のほとんどが、中世から残るものばかり。
入り組んだ、細い石畳の小道はお散歩にぴったり。
おとぎ話の舞台のように、ロマンチックな
ガムラスタンのヤーン広場のそばが
アクセサリーデザイナーのシャルロッテの住まい。
重厚な鉄のドアを開けて中庭を進み、お部屋へ…

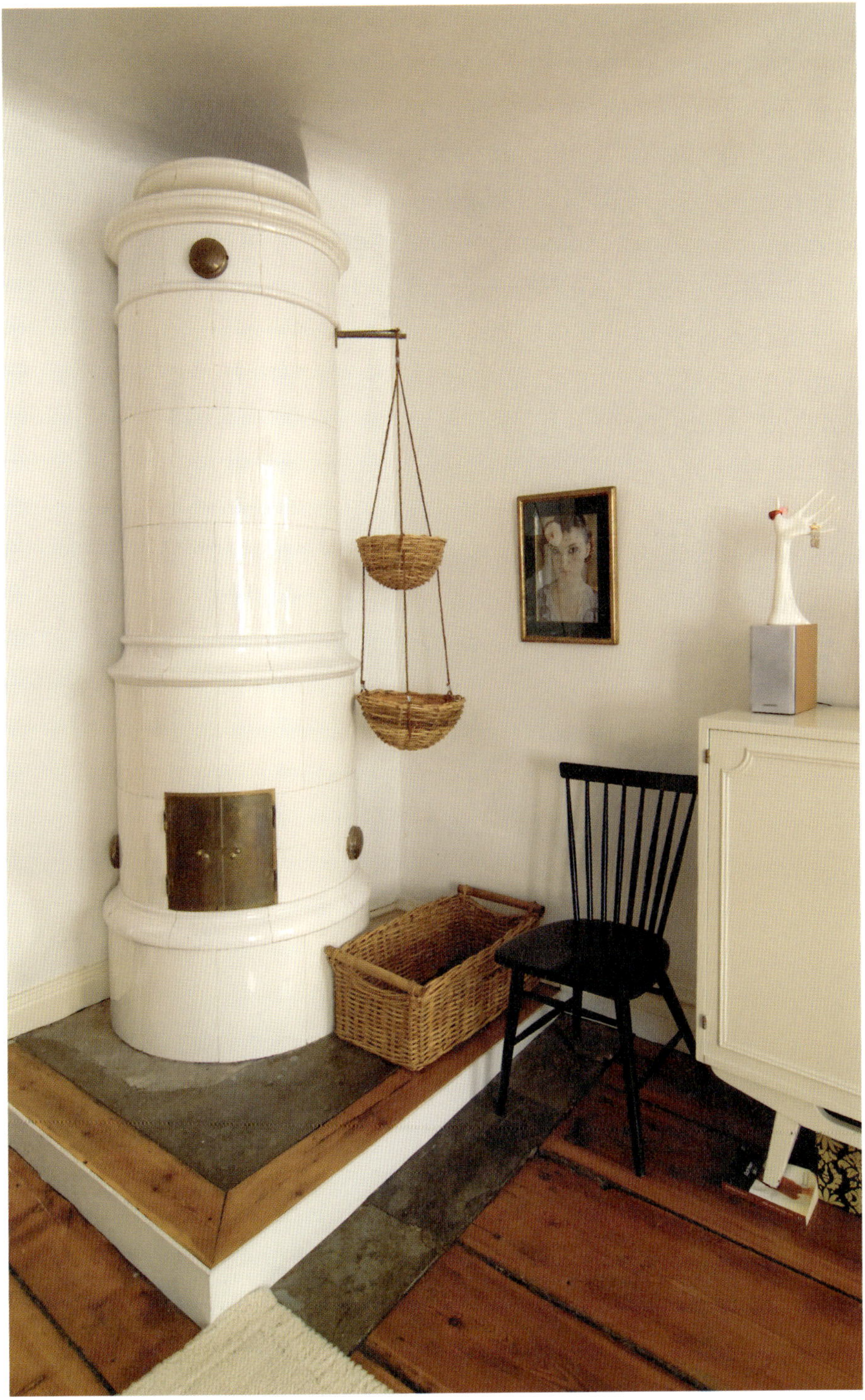

アクセサリーがちりばめられた、シックな女の子の部屋

バルセロナにある、モードスクールで学んだシャルロッテ。ストックホルムに戻って、ファッショナブルなアイテムが手軽に見つかる「H&M」のアクセサリーデザイナーに。サングラスやヘアアクセサリー、ネックレスやリングなど、さまざまなアイテムを手がけている。

このアパルトマンに暮らしはじめて、まだ1年足らず。タイムスリップしたような、ノスタルジックなガムラスタンの町に暮らすことができて、うれしいというシャルロッテ。アパルトマンに入るための鉄製のドアを開けるときは、いつもしあわせな気分。シャルロッテのお部屋は、味のある木目が美しいフローリングに白い壁、そして白いタイル貼りの暖炉がある。インテリアのポイントに、黒やゴールドを使ったシックな空間。

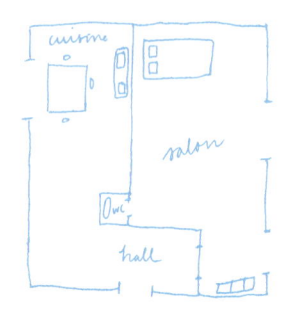

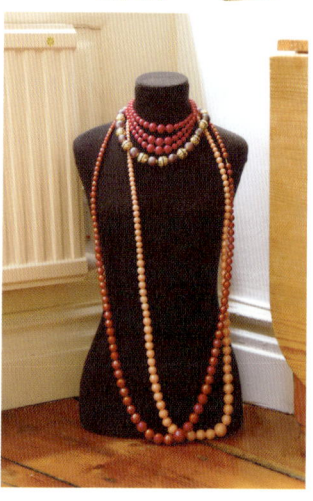

左上：雑誌で見つけたお気に入りの写真を、セカンドハンドショップで見つけたゴールドのフレームに入れて。右上：リビングルームのソファーはもともとこの部屋にあったもの。友だちがアフリカへヒッチハイク旅行をしたときに撮影した写真を壁に飾って。下段：ヴィンテージ・ファッションが好きなシャルロッテのコレクション。

左上：「スヴェンスク・テン」のデザイナー、ヨセフ・フランクが手がけたチューリップ柄のトレイ。ゴールドのカップ＆ソーサーは、オークションで手に入れたもの。左中：赤いバラを1輪さしたガラスの花器に、シャルロッテがデザインしたピアスを飾って。中中：バルセロナで見つけた、ダイナミックな鳥の形の花器。

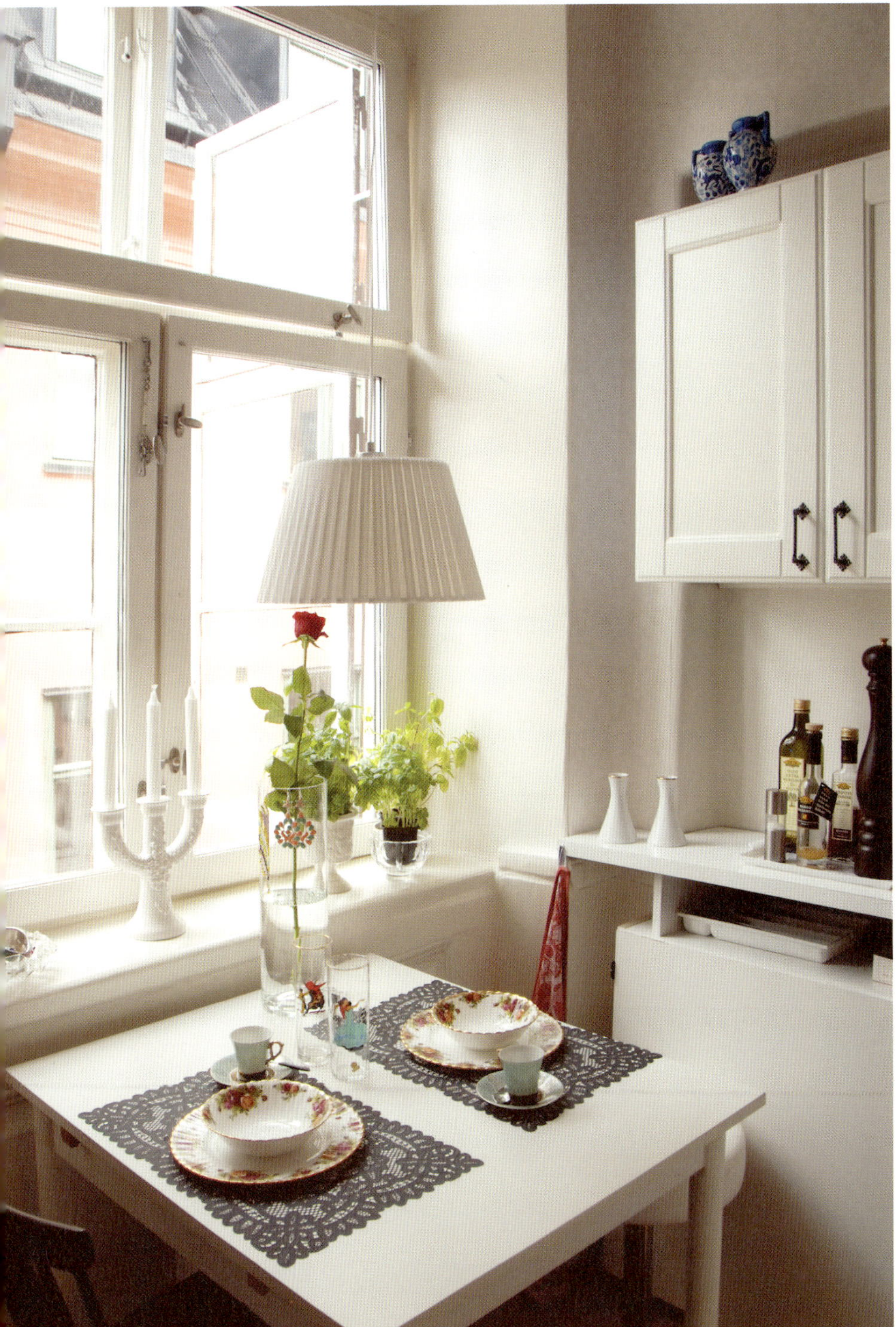

Nina Beckmann & Måns Malmborg

ニーナ・ベックマン&マンス・マルムボリ　illustrators agent & architect

人気エリアになった、セーデルマルム地区。
むかし北部は、ストックホルムの港で働く
海の男たちがたくさん住んでいたところ。
赤いれんが造りで、背の低い建物が並ぶ
小さな通りは、当時の面影を残して…
そんなノスタルジックな界隈に、古い
アパルトマンを見つけたニーナとマンス。
クリエイティブなふたりが力をあわせて
アパルトマンは、心地のよい4人家族の住まいに。

上：キュートなピンクのキッチンとリビングの間仕切りになっている白い本棚も、マンスが作ったもの。
右中：アーティストのアニカ・ユエットがモザイクで描いてくれたニーナのポートレート。写真はマンスとギターを手に元気いっぱいのノエルくん。**左下**：ニーナがエージェントをしているリズロット・ワトキンスの作品。

ピンクのキッチンに長いベッド、家族のためのハンドメイドの家

イラストレーターをサポートするエージェントとして活躍するニーナと、ストックホルムのレストランやショップを手がける建築家のマンス、そして4歳のノエルくん。一家は4人目の家族、サガちゃんが生まれることになって、少し広いアパルトマンに引っ越しを計画。

人気のセーデルマルム地区に、なかなか希望どおりのアパルトマンが見つからず、あきらめかけていたころに、細かく仕切られて使いづらそうと長い間、借り手のいなかった部屋とめぐりあった。

お仕事がら、マンスはリフォームも家具作りも得意。室内の壁を壊し、ダイニングキッチンからリビングまでは、ひと続きの開放的な空間に。ベッドや本棚などもマンスの手作りで、家族のためのあたたかい部屋に生まれ変わった。

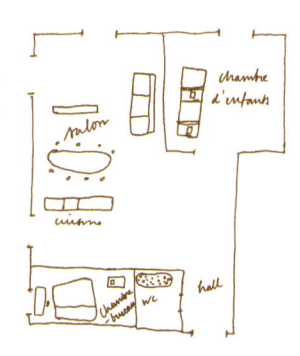

上：子ども部屋の美しい花柄の壁紙は、ヨセフ・フランクがデザインした「スヴェンスク・テン」のもの。ふたりが縦に並んで眠れるほど長いベッドは、マンスが作ったもの。「イケア」で見つけたマルチボーダーのシーツと、「マリメッコ」の車柄のシーツの組み合わせがかわいい。左中：音楽が大好きなノエルくんのドラムセット。

Lilian Bäckman

リリアン・ベックマン　designer, illustrator

中央駅のほど近く、市庁舎や裁判所などが集まる
ストックホルムの中心地、クングスホルメン島。
リリアンの住まいは、この島の東にある
1935年に建てられた、大きなアパルトマン。
2匹の猫と一緒に暮らしているリリアン。その名も、
ウエスタン・ドラマのヒロイン、ゼブ・マカハン
そして、アクションスターのブルース・ウィルス！
勇ましい名前の縞模様が美しい2匹の猫たちが、
リリアンを守ってくれているみたい。

85

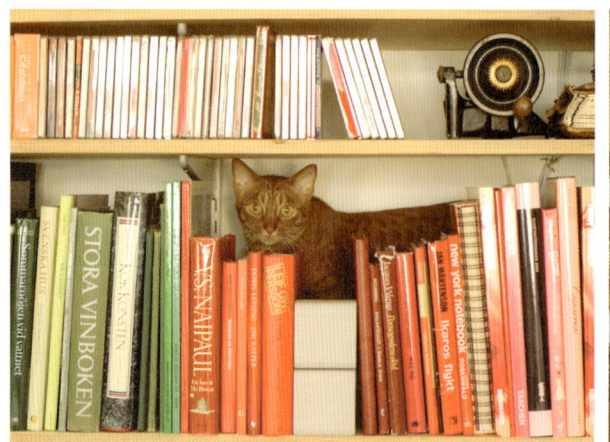

左上：リリアンが作った、本棚の裏側にまわったゼブちゃん。狭いところがお気に入りの猫たちにとって、楽しい遊び場所。右上：小さなランプは、ストックホルム郊外ののみの市で。このリビングのコーナーには、リリアンのコレクションをディスプレイ。左下：棚の中央にあるドールハウスは、リリアンが子どものころに買ってもらった大切なもの。

大好きな猫たちが自由に遊べる、ハンドメイドのインテリア

本のイラストレーションを手がけるリリアンは、50年代のピンナップガールのイラストとスパンコールやレースなどをコラージュして、オリジナルのカードを作っているデザイナー。7年前からこのアパルトマンに、ボーイフレンドと2匹の猫たちと一緒に暮らしている。

リリアンの趣味は、自分で家具を作ったり、リフォームしたりすること。もともと3つに分かれていた部屋の壁を取り除いて、開放感のある空間に。リビングのコーナーにはオリーブグリーンを使ったり、ベッドルームにはゴールドで椅子柄を描いたり、まっ白にペイントした壁には、お部屋にあわせてアクセントを加えている。壁一面をおおう大きな本棚や高いところが大好きな猫たちのためのタワーになった遊び場も、彼女のハンドメイド。

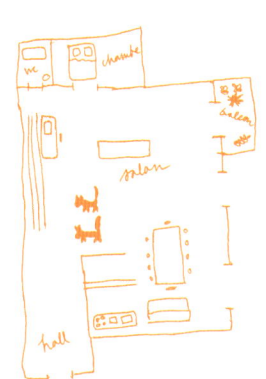

左上：ピンクのクッションは「不思議の国のアリス」をテーマに活動している、デザインユニット「アリス」で展示会をしたときのリリアンの作品。左中：ベッドルームの窓辺に飾ったマリアさま像。中央は両親からのプレゼントで、後ろのふたつは暗いところで光るもの。右下：グレーの電話機は、60年代にスウェーデンでポピュラーだったもの。ボーイフレンドのおばあちゃんから譲ってもらった。

左上：リリアンが手がけるコラージュカード。フレッシュなアーティストの作品を扱う「デザイントリエ」で販売している。**左下＆右下**：リビングに置いているソファーは、リリアンが19歳のときにエンショーピンののみの市で見つけたもの。木のフレームに、ライオンやシカなど動物が彫刻されている。

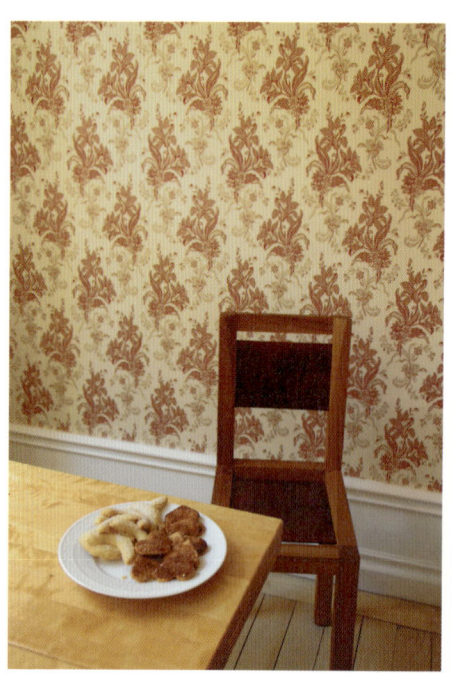

Stefan Wennerström & Vladislava Vasovic

ステファン・ウェンネルストローム＆ヴラディスラヴァ・ヴァーソヴィッチ　designer & dentist

プロダクトデザイナーのステファンと
歯医者さんのヴラディスラヴァ。
ふたりのアパルトマンは、
セーデルマルム地区のにぎやかな通り沿い。
ふたりで暮らしはじめたアパルトマンも、
いまでは家族4人の住まいに…。
まるい瞳がキュートな1歳のサスキアちゃんと
生まれたばかりのヴィンセントくん。
家族で過ごす時間が、何よりしあわせ。

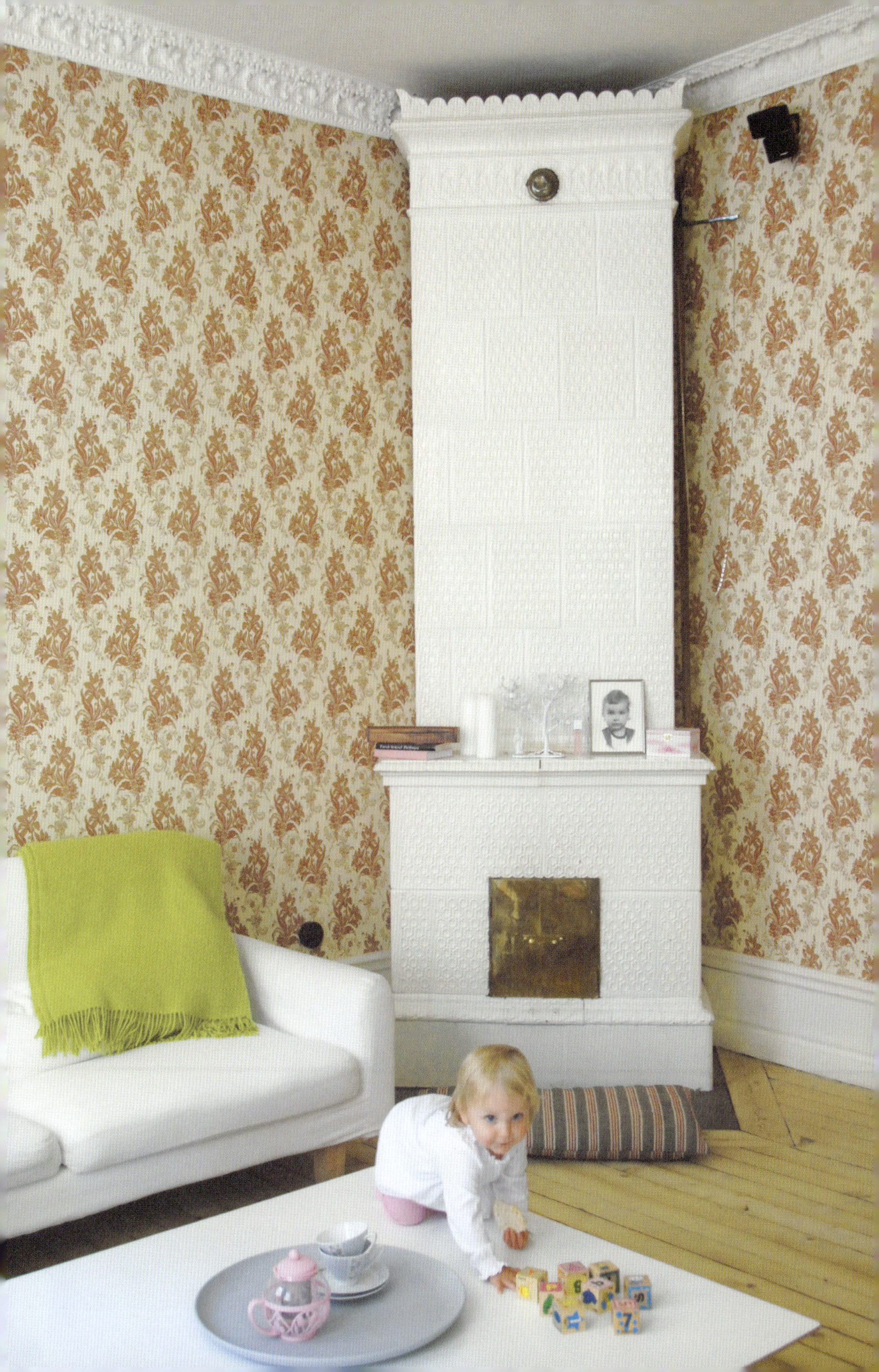

ブラシで磨いてオイルを塗って、古いお部屋が見違えるよう

18世紀に建てられたこのアパルトマンが、ステファンとヴラディスラヴァの住まい。とてもクラシカルで味のあるインテリアが印象的で、気に入ったというふたり。それもそのはず、もともとある家族が2代にわたって暮らしていたので、100年近くインテリアに手を入れられてない状態だったのだそう。いざ、ここで暮らすことになると、フローリングにオイルを塗ったりペイントしたり、漆喰の天井を磨き上げたり、より美しくお部屋を見せようとお手入れ。プロダクトデザイナー、そしてほかのデザイナーのクリエーションにアドバイスもしているステファン。いまは生まれたばかりのヴィンセントのために6ヶ月の間、仕事はおやすみにして、家族の時間を大切にしている。

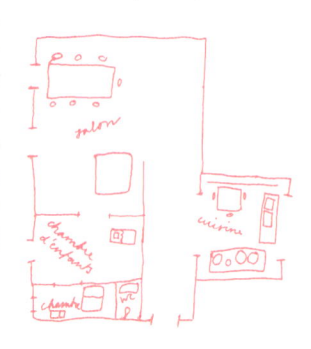

Terese Öman

テレーセ・エーマン　textile designer

テキスタイルデザイナーのテレーセ。
フリーになる前に彼女が仕事をしていた
フィンランドのテキスタイル・ブランド、
マリメッコは、いちばんのお気に入り。
アパルトマンの中にも、自由な組み合わせで
上手に取り入れられているテキスタイルたち。
ベッドカバーはエルヤ・ヒルヴィ、
クッションはフジオ・イシモトのデザイン…
ひとつひとつ手がけたデザイナーが分かるのも魅力

右上：ソファーにかけたファブリックは、テレーセが学生時代に作ったもの。左下：コンパクトなお部屋の中を、最大限に使うことができるように、壁のへこみを利用して、秘密基地のようなベッドスペースを作ったテレーセ。アンナ・ダニエルソンが「マリメッコ」で発表した「ツナミ」という名前のテキスタイルをカーテンに。

ファブリックやインテリアに、クリアでピュアな水と光のきらめき

クングスホルメン島の海岸の近くに建つ、テレーセの暮らすアパルトマン。1930年代に建てられた建物の中は、シンプルな間取りで広々とした部屋。開放的な空間と、海と波間に浮かぶ、レストランを眺めることができる、気持ちのいい窓。すぐにこのアパルトマンが気に入ったというテレーセ。クングスホルメン島のまわりを海岸沿いに1時間ほどお散歩するのが、彼女の毎朝の日課。
コンパクトなアパルトマンの中のインテリアは、すべてテレーセが選びぬいたものばかり。スウェーデンのデザイナー、ブルーノ・マットソンが手がけたひじ掛けイスは、リラックスできていちばんのお気に入り。小さなキッチンも窓辺には、透明感のあるガラスや色のきれいなオブジェを並べて、いつでも好きなものに囲まれている。

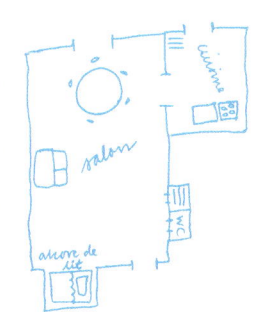

Caroline Heiroth

キャロリン・ヘイロース　architect

いろいろな国を訪れて、一年の半分は
旅しながら過ごすという、建築家のキャロリン。
1939年に建てられたアパルトマンが、彼女の住まい。
スウェーデンで40年代からポピュラーになった
フンキスと呼ばれる、ボックス型の間取りは
広々として機能的、シンプルで人気のスタイル。
オレンジ色がポイントになった、キャロリンの部屋には
スウェーデンやイギリス、日本のデザイナーの家具
そして、旅から持ち帰った宝物がたくさん。

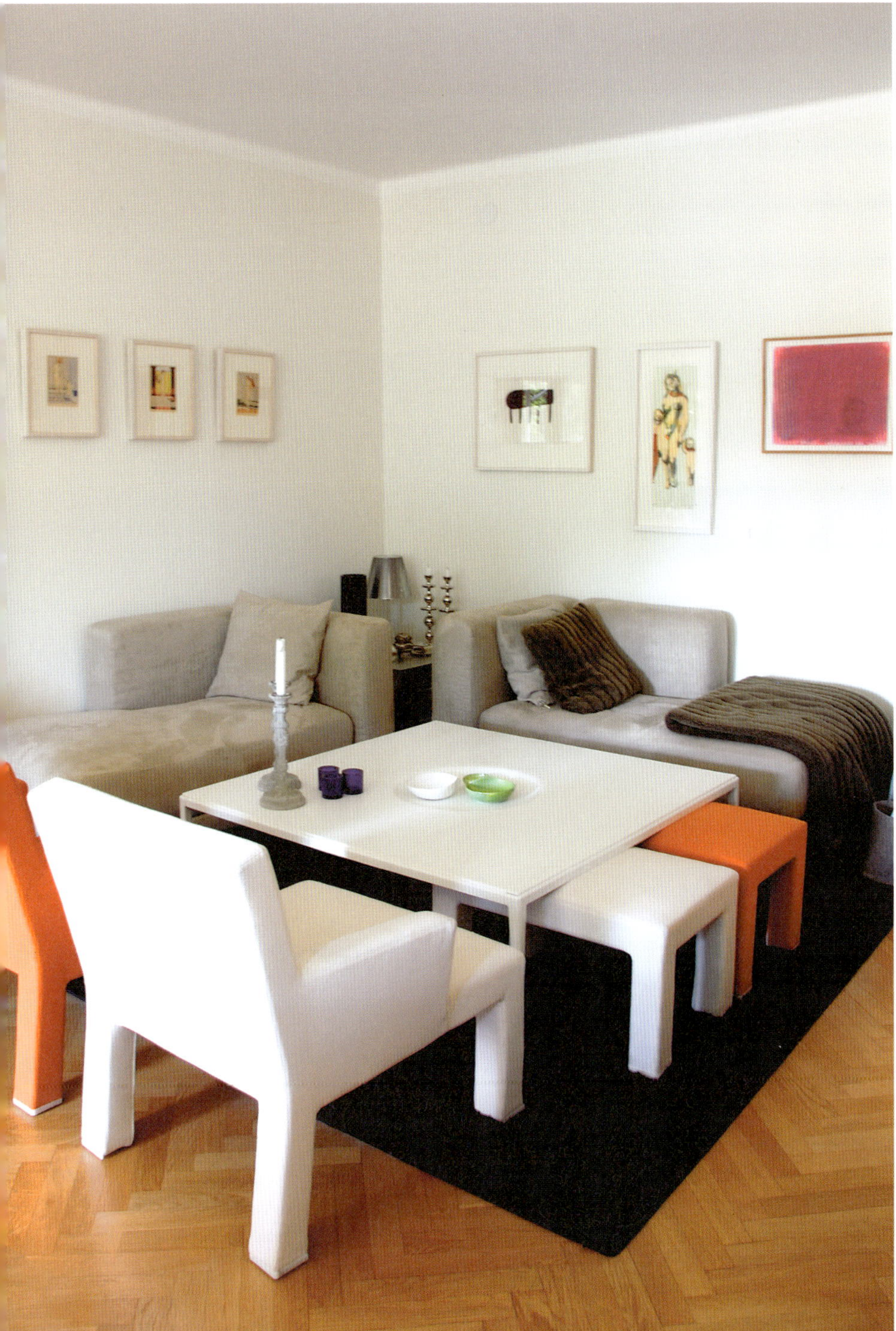

旅の宝物たちとデザイン・オブジェ、旅する建築家の部屋

玄関のドアを開くとホールの壁には、日本で神社めぐりをして集めた絵馬がずらり。日本にイタリア、ドイツやパリなど、さまざまな国から持ち帰ったおみやげが並ぶキャロリンの部屋。彼女はエリクソンなどの企業や、公共施設といった大きなプロジェクトで活躍する建築家。
バルコニーに面した明るいダイニングテーブルは、両親から譲ってもらった60年代のデンマークデザイン。そのまわりには、ジャスパー・モリソンがデザインしたエアー・チェアをあわせて。天井にはトム・ディクソンが発表した照明、ミラーボール。お仕事がら、アパルトマンにもデザイナー家具がいろいろ。両親から譲り受けたスカンディナビアン・デザインの雑貨や旅先の思い出の品が加わって、キャロリンらしい空間に。

左上：スウェーデンのデザイナー、ピア・ヴァレンが手がけたクロス柄のブランケットが色を添えるベッドルーム。左中：「青い炎」という名前がつけられた、きれいなブルーのピッチャーはロールストランド窯のもの。睡蓮の形のキャンドルスタンドはパリで。右下：キッチンの窓辺に置いた、テーブルとイス、ランプは深澤直人のデザイン。

Sofia Hedman

ソフィア・ヘドマン　fashion stylist

ブティックやカフェ、ヴィンテージショップ
ユニークでクリエイティブなお店が多いセーデルマルム。
ソフィアが暮らすのは、北部のすこし高台になった場所。
アパルトマンの部屋からは、入り組んだ海の向こうに、
ガムラスタン島やリッダーホルメン島に建つ
古い教会の先の細い塔まで見渡せる、素敵な眺め。
ファッションスタイリストのソフィアは
あざやかな色とモチーフ、70年代のスタイルが好き。
ドレスだけでなく、インテリアもお気に入りの時代風に。

右上：大きな目覚まし時計は、朝が苦手なソフィアへお姉さんからのプレゼント。左下：スウェーデン南部のバルト海沿いの町、カールスクローナで作られた「カールスクローナ・ランプファブリク」のランプ。小さなアトリエでひとつひとつ手作りされたもの。左ページ下：壁のフォルムや水色の壁紙が、ロマンティックなベッドルーム。夜は望遠鏡で、星を眺めるのが好きというソフィア。

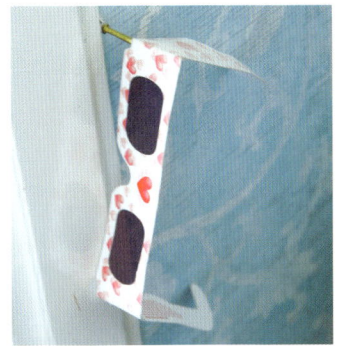

お気に入りのキッチュなバスルームで、1日2回のバスタイム

セーデルマルム地区の海辺に近い高台に、1700年代に建てられた、歴史のあるアパルトマンに暮らすソフィア。彼女はオリジナルで洋服やアクセサリーを作るほか、雑誌やファッションショーなどのスタイリストとして活躍している。ソフィアは部屋をデコレーションするのが大好き。玄関を入ってすぐの廊下には、開け放した二重ドアやコート掛けに、お気に入りの洋服やアクセサリーをディスプレイ。リビングの壁はプラム色にペイントして、もともと持っていたオレンジのソファーとのコントラストを楽しんで。アパルトマンの中でも、いちばんお気に入りの空間がバスルーム。キッチュな造花やグリーンで飾り付けたバスルームは、ソフィアのオアシス。

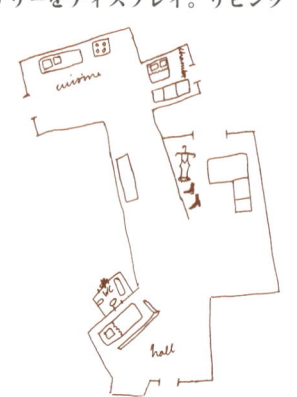

左上：スウェーデンの伝統工芸のひとつ、木彫りの馬のオブジェ「ダーラヘスト」は、ダーラナ地方で生まれたお父さんからのプレゼント。左中：銅製のキャンドルホルダーは、ソフィアがバカロレアを獲得したときにプレゼントされたもの。右上：少しずつ増やしていったプラスチックの花やグリーンを、鏡の周りにデコレーション。左下：ホーローのカップはドミニカみやげ。

右上：ヴィヴィアン・ウエストウッドのポスターをフレームに入れて。左下：リビングのソファーでくつろぐソフィア。右下：のみの市で見つけたアンティークの黒い棚。ひとつは本棚として、もうひとつはシューズボックスに。ちょうど奥行きもぴったりに、カラフルな靴が並んで、ちょっと意外な見せる収納。

左中：キッチンの窓辺には、スティグ・リンドベリの「ベルサ」シリーズのプレートの上に、パリで見つけたユーモラスなお香立て。右上：シンプルなキッチンは、70年代のプラスチックのランプシェードのイエローがポイントに。左下：パッケージのダーラヘストのマークがかわいいクネッケブロートは、ソフィアの朝ごはんには欠かせないクリスピーなパン。

Isabelle Hålling

イザベル・ハリン　decorator

イザベルが暮らす、アパルトマンは
おしゃれなショップや小さなカフェが立ち並ぶ
にぎやかなセーデルマルム地区の中心地。
テレビ番組「エントリンゲン・ヘンマ」に
登場する、デコレーターのイザベル。
ペイントをきれいに仕上げる方法をレクチャーしたり、
古い家具をリメイクしたり、デコレーションしたり。
インテリアを素敵に変身させる、イザベルの
とっておきの楽しいアイデアがいっぱい！

左上：壁紙を貼って、キッチンの収納の中も楽しく。右上：ブラジルみやげのかわいい鳥のオブジェ。右下：シカのキャンドルスタンドは、イザベルがベルギーで見つけたもの。左ページ左上：リビングに置いているうさぎの形のベビーベッドは、イザベルが番組用に作ったもの。生まれてくるイザベルの赤ちゃんもきっと喜ぶはず。

チャーミングなインテリアは、マネしてみたいアイデアがたくさん

ガムラスタンの南にある大きな島、セーデルマルム地区は、おしゃれな雑貨屋さんや若いアーティストの作品を扱うギャラリーなどが集まる人気スポット。3ヶ月前に、セーデルマルムの中心地にあるアパルトマンに引っ越してきたイザベル。さすがプロのデコレーターだけあって、妊娠中にもかかわらず、あっというまにリフォームして、自分らしい素敵なインテリアに。

白をベースに、シックな色やプリントものの壁紙をアクセントに加えた壁面は、すべてイザベルが張り替えたもの。シンプルなベッドルームは、雑貨たちの色がポイント。イザベルがペイントしたサイドボードのブルー、レトロな花柄のランプシェード、そして日本で見つけたかぎ針編みのベッドカバーはフューシアピンク。暮らしをいきいきと楽しくいろどってくれる、ヴィヴィッドな色の組み合わせがとてもチャーミング。

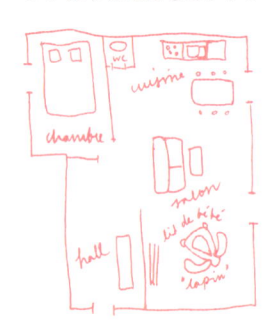

Alexandra Margulies

アレクサンドラ・マルグリース　textile designer

ロンドンからやってきた、アレクサンドラ。
ファッションブランド、H&Mの
テキスタイルのプリントデザイナーとして
お仕事のためにストックホルムへ。
歴史ある優雅な街並が美しい、ガムラスタン。
14世紀から残る、小さな通りにある
アパルトマンがアレクサンドラの住まい。
小さな窓、タイル張りの暖炉、愛らしいキッチン
そんな時代を感じるインテリアが彼女のお気に入り。

左中：ミュウミュウのゴールドのサンダルはお気に入り。靴が大好きなアレクサンドラは、100足以上もの靴を持っているのだそう！ 右上：リビングルームの主役は、ロマンティックなペイントがほどこされた暖炉。左下：窓辺にクッションをたっぷり。パープルのクッションは、友だちのマリンが作ったもの。カエルの刺しゅうクッションは、おばあさんのハンドメイド。

オールドタウンの中のロマンティックなアパルトマン

ロマンティックなあわいパープルにいろどられたアレクサンドラのアパルトマン。ベッドルームのコーナーにある、鳥と植物が1枚1枚のタイルにハンドペイントされた美しい暖炉は、このアパルトマンが建てられた14世紀ごろから使われているもの。冬の厳しい寒さを部屋の中に入れないようにと、窓はできるだけ小さく出窓に作られているのも、歴史を感じさせる。

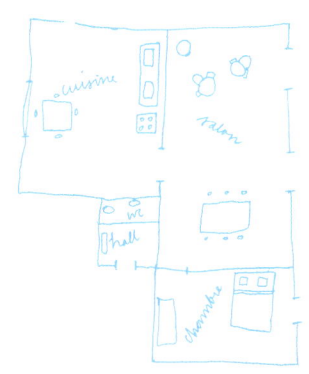

とてもコンパクトなかわいらしいキッチンには、古い鉄製のオーブンがついている。ふたりも立てばいっぱいになってしまう、このキッチンで友だちと一緒におしゃべりしながら料理するのが好きというアレクサンドラ。金曜日の夜には、2本のキャンドルを灯して、おいしいディナーを楽しむ。

Åsa Ohlsson

オーサ・オルソン　interior designer / Design Dessert

すっぽりと、やわらかく手のひらにおさまって
ずっとにぎっていたくなる、布のボールは、
日本のおてだまから生まれたおもちゃ。
オーサとマリン、ふたりのユニット、
デザイン・デザートが作ったスモーコンピサーは
スウェーデン語で「小さな友だち」という意味。
そんなやさしい気持ちが伝わる作品を生み出すオーサの
セーデルマルム地区にある、アパルトマンは
静かでさわやか、そしてキュートなお部屋。

左上：ベッドのそばの壁に飾ったスウェーデン国王の絵画は、セカンドハンドで見つけたという友だちからのプレゼント。**中上**：デザイン・デザートの作品、フェルトで作った小物入れと、たくさんのスモーコンピサーたち。**右中**：ヨーテボリのアートスクールで学んでいたときに作った日本風の家の模型。

113

さわやかでやさしい、素敵なアイデアいっぱいの部屋

アパルトマンのフローリングの手入れや、壁のペイント、そしてキッチンの収納やアトリエスペースに取り付けたデスクや本棚などもすべて、自分でリフォームを手がけたというオーサ。部屋の中には、スモーコンビサーをはじめ、お花の形のランプシェードや、ソックスのように履き口がついて足を入れられるウールのマットなど、ユニークなデザイン・デザートの作品たちも。
編み物をしたり、ものを作ったりするのが好きなオーサ。最近もキッチンをより使いやすいようにと、窓のすぐ横に食品のストックを並べられる棚を作ったところ。棚の下には、テーブルにあわせて木のベンチを作り、座れるように。ちょっとしたスペースも使いやすいよう工夫したり、素敵なアイデアをふくらませた、とても居心地のよい空間。

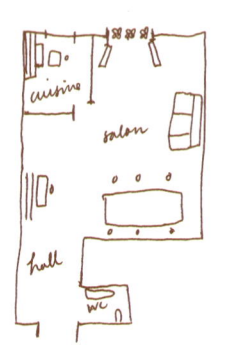

上：お料理が得意なオーサ。キッチンにはプロ仕様のお鍋などの調理器具がずらり。ピンクと赤の鍋つかみは、お母さんが編んでくれたもの。左中：キッチンの窓辺で元気に葉を茂らせている、ミントとバジルはお料理にも色を添えてくれる。中下：ピンクのガラスのうさぎは、ハンナ・リュンクベリが手がけたもの。

Malin Zimm

マリン・ジム　architect

建築家として活躍するマリンの住まいは
もともと、自転車置き場だった小さな建物。
花いっぱいの庭に囲まれた、1階の空間が
マリンの素敵なアイデアと工夫で、
居心地のよい、広々としたお部屋に変身。
ヴァルハッラヴェーゲン通りを行き交う車たち
ロスラグスバーナン線を走る電車。
アパルトマンまで届く、さまざまな音も
静かな部屋の中では、町の動きを感じる音楽のよう。

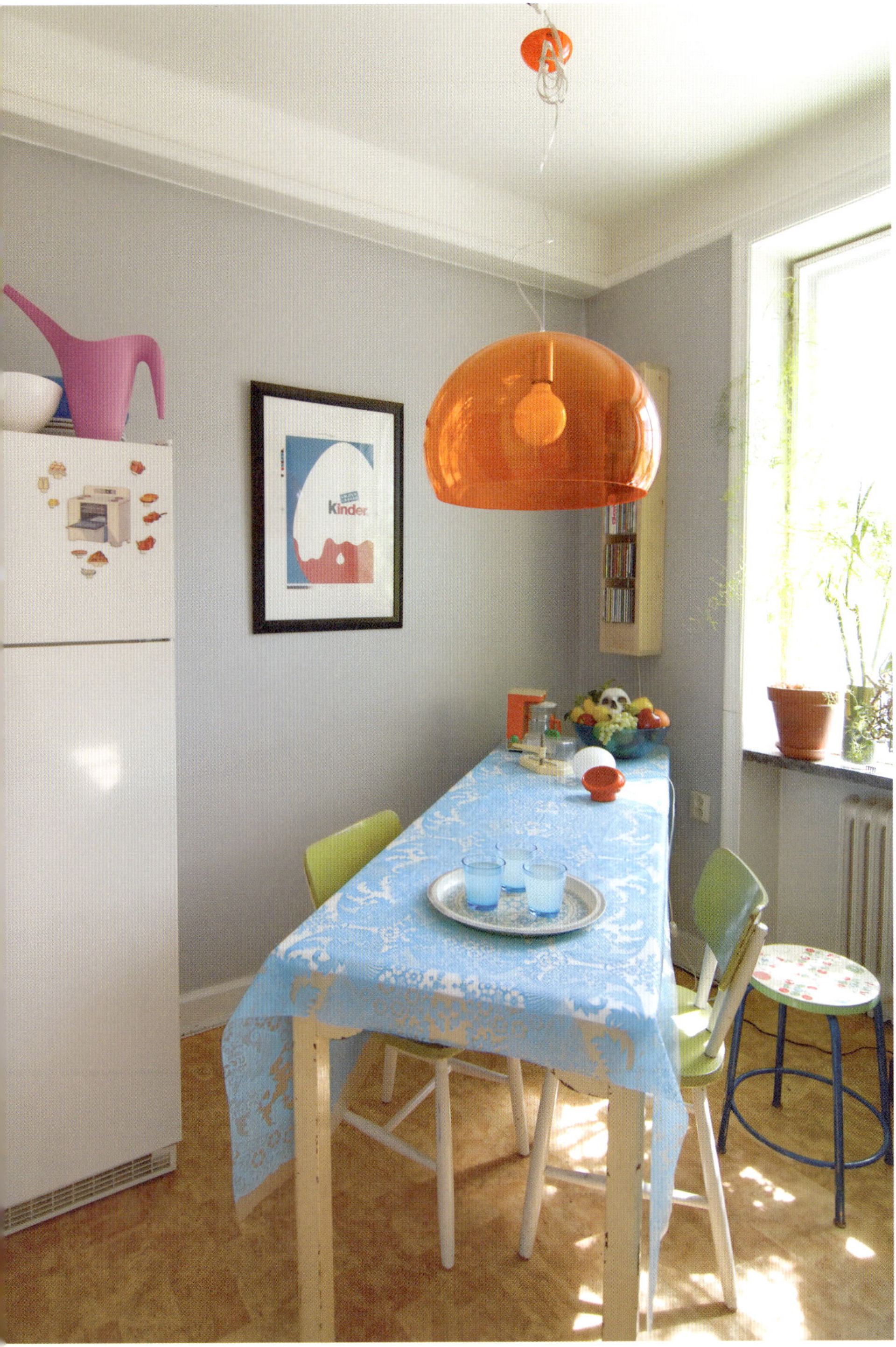
Kinder

ひと部屋ひと部屋が個性的、居心地のいい私のための場所

ストックホルムのアートスクール、コンストファックで教師をつとめたり、映画のセットのデコレーションを手がけたりと幅広く活躍している、建築家のマリン。またスウェーデンの雑誌「ボン」や「ルーム」などで、デザインやインテリアについて、原稿を書くジャーナリストでもある。
もともとは自転車置き場だったというアパルトマンだけれど、いまではその名残は見つけられないほど。キッチンとダイニングは、清潔感のある水色の中、あたたかみを添えるオレンジがアクセント。
モノトーンのインテリアのリビング、ギターやコンガなどが集まる楽器コーナー、トルコのカーペットやクッションを集めた部屋。マリンの大事なものがスタイルごとに分けられて、部屋それぞれがとても個性的な空間に。

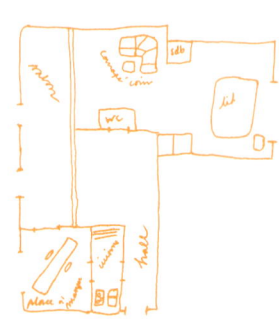

左上：赤いランプシェードは、中にキャンドルを立てて使うもの。**中中**：ファニーなマッシュルームのオブジェは、のみの市で見つけたもの。**左下**：モノトーンの色使いとフォルムがいさぎよいソルト＆ペッパーは、グスタフスベリ窯のもの。**右下**：ナンバー入りの食器セットは、ドイツののみの市での掘り出し物。

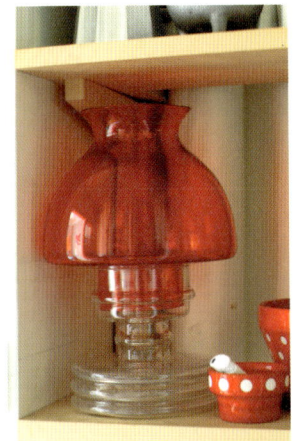

左中：音楽が大好きだったお父さんの影響で、マリンも楽器を演奏するのが大好き。マンドリンはお父さんからもらったもの。**右上**：のみの市で見つけた白いチュールのスカートをかけているラックは、もともと病院で使われていたものをリサイクル。ウルグアイから苦労して持ち帰ったスツールや、マリンの赤いギターを並べたベッドルームのコーナー。

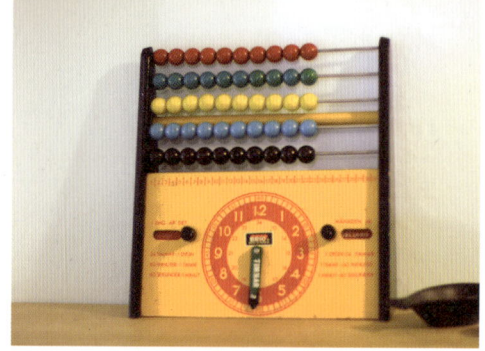

右上：ベッドルームに置いたガラスのショーケースの中には、おばあさんから譲り受けたクリスタルのカラフェや、マリンがコレクションしている薬のボトルが並んでいる。右下：リビングルームは、水色の壁にモノトーンの家具でまとめたシックな空間。ソファーのカバーは、ウルグアイから持ち帰ったムートンを、マリンがパッチワークしたもの。

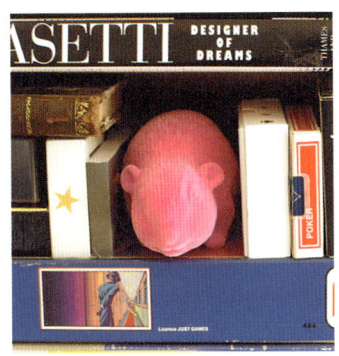

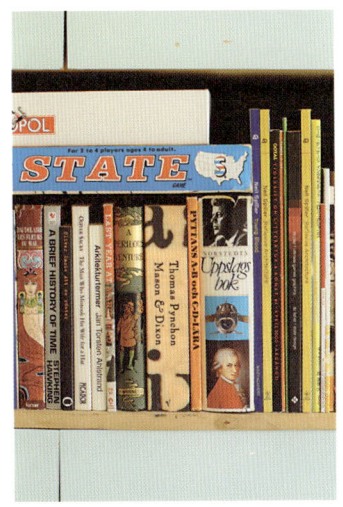

Stockholm
Shop Guide

ストックホルム ショップガイド

ストックホルムの暮らしのまわりには、素敵なデザインであふれています。モダンなデザインのインテリアや雑貨に注目が集まる一方、ストックホルムの人たちは古いものを大切にしたり、既成の品をより使いやすく工夫したりするのが得意。ストックホルムのアパルトマンをたずねて「素敵だな」と思った、スカンディナビアン・デザインの雑貨が見つかるショップを紹介します。

APPARAT

Nytorgsgatan 36, 116 40 Stockholm
tel : 08 653 66 33   www.apparat.nu

セーデルマルム地区にある「アッパラット」は、ナディアさんとフレデリックさんがオープンさせたインテリアショップ。特に30年代と60年代のインダストリアルデザインに影響を受けたヴィンテージのオブジェがたくさん揃う。デザイナーたちとコラボレーションして、昔のデザインをよみがえらせたオリジナルアイテムも。

WIGERDALS VÄRLD

Krukmakargatan 14, 118 51 Stockholm
tel : 08 31 64 04   www.wigerdal.com

アンティーク通りと呼ばれるウップランズ通りにある「ヴィエルダルス・ヴェルド」は、30年代から70年代のスカンディナビアン・デザインが揃うヴィンテージショップ。ロールストランドやグスタフスベリなどのコレクターズアイテムの陶器から、カジュアルな雑貨やおもちゃまで、年代別にディスプレイされている。

STOCKHOLMS STADSMISSION SECOND HAND

Hornsgatan 58, 118 21 Stockholm
tel : 08 642 93 35   www.stadsmissionen.se

ホームレスの人たちをサポートするという目的から、1927年にスタートした「ストックホルムズ・スタッズミッション・セカンドハンド」は、ストックホルムでいちばん大きな組織。洋服や家具、レコードに本などさまざまなユーズドの商品が集まっている。5店舗あるうち、このセーデルマルムのショップはおしゃれなアイテムが多い。

SVENSKT TENN

Strandvägen 5, 114 51 Stockholm
tel : 08 670 16 49   www.svenskttenn.se

ヨセフ・フランクが自然のモチーフをあざやかに美しく描き出したファブリックが、いまでも変わらない人気を持つ「スヴェンスク・テン」。好きなものに囲まれて暮らしたいという思いから生み出された、素敵なファブリックや家具、雑貨の数々が揃う。フレッシュなクリエーターのサポートにも力を入れている。

NORRGAVEL

Birger Jarlsgatan 27, 111 45 Stockholm
tel : 08 545 220 50   www.norrgavel.se

木の風合いをそのまま、素材のよさを活かした家具が揃う「ノッルガーヴェル」は、シンプルで美しいデザインの家具を探すのにぴったり。オーナーのニルヴァンさんのコンセプトは、すべての人の暮らしの中でいちばん大切な瞬間を表現すること。ナチュラルな素材にこだわり、売上の一部はWWFに寄付しているというエコロジーなお店。

BUNGALOW PORSLIN

Kungsholmsgatan 15, 112 27 Stockholm
tel : 08 654 48 40   www.bungalow.se

クングスホルメン島にある「ブンガロウ・ポルスリン」は、ピーターとロジャーが伝統的なスウェーデンの陶器にもっと親しんでほしいとオープンしたお店。400m^{2}もある広々とした店内には、カップやプレート、花器などデザイナーものがたくさん。品揃えが豊富なので、足りないものを探しにやってくるコレクターのお客さんも多い。

MODERNA MAGNUS

Storkyrkobrinken 14, 111 28 Stockholm
tel : 08 20 24 26   www.modernamagnus.se

キュリアス・ジョージやスヌーピーなどかわいいキャラクターものから、テキスタイルや陶器など、ポップなデザインのオブジェが集まる「モデルナ・マグナス」。もともと雑誌の編集者だったオーナーのマグナスさん自身が、1900年代の雑貨のコレクター。ポップなスカンディナビアン・デザインと出会えるお店。

IKEA Kungens Kurva

Modulvägen 1, Box 79, 127 22 Skärholmen
tel: 020 43 90 50   www.ikea.se

スウェーデンで生まれた世界最大のインテリアショップ「イケア」。そのはじまりは1943年、イングヴァル・カンプラードが17歳で、スウェーデン南部のアグナリッドという小さな町で立ち上げた何でも屋さん。1951年にスタートしたオリジナル家具の魅力のひとつが、持ち帰りが便利な組み立て式だということ。アレンジもしやすくて、自分らしいインテリア作りにぴったり。

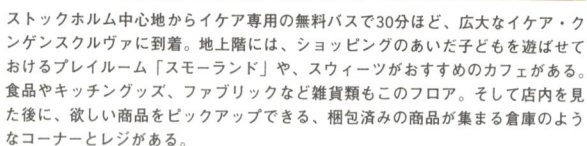

Entréplan

ストックホルム中心地からイケア専用の無料バスで30分ほど、広大なイケア・クンゲンスクルヴァに到着。地上階には、ショッピングのあいだ子どもを遊ばせておけるプレイルーム「スモーランド」や、スウィーツがおすすめのカフェがある。食品やキッチングッズ、ファブリックなど雑貨類もこのフロア。そして店内を見た後に、欲しい商品をピックアップできる、梱包済みの商品が集まる倉庫のようなコーナーとレジがある。

Plan 1

エスカレーターで「プラン1」へ。ここはベッドルームやバスルーム、玄関まわりや衣類の収納やオフィス家具などが集まるフロア。35m²、60m²などお部屋の広さごとに、インテリアの提案があるので、コーディネートの参考にするのも楽しい。

Plan2

続く「プラン2」は、ソファーや本棚、ローチェストなど、リビングルームに関連するアイテムが揃うフロア。ダイニングルームのコーナーも。どの商品にもスウェーデンの町や村、ポピュラーな人物などの名前がついているので、親しみやすい。

Plan3

いよいよ最上階「プラン3」は、子どもやペットのためのアイテム、ホームウェアなどを扱うコーナー。おみやげにもぴったりのかわいい雑貨が見つかりそうなフロア。建物は吹き抜けになっているので、ここから店内の全体像を見渡すこともできる。そしてショッピングのあいまには、ゆったりとしたカフェ＆レストランコーナーで、ミートボールやじゃがいも料理、カシスのタルトなどスウェーデン料理をためしてみて。

Scandinavian Tourist Board
スカンジナビア政府観光局　www.visitscandinavia.or.jp

デンマーク、ノルウェー、スウェーデンとスカンジナビア3国のさまざまな情報を提供してくれる観光局。3国の歴史や文化から、おすすめスポットやレストラン、ホテルなども紹介しているウェブサイトには、キャンペーン情報のほかスカンジナビアへの旅のヒントがいっぱい。

toute l'équipe du livre

édition PAUMES
Photographe : Hisashi Tokuyoshi
Design : Megumi Mori, Kei Yamazaki, Tomoko Osada
Textes : Coco Tashima
Coordination : Yong Andersson, Nina Jobs, Fumie Shimoji
Éditeur : Coco Tashima
Art direction : Hisashi Tokuyoshi

Contact : info@paumes.com   www.paumes.com

Impression : Makoto Printing System
Distribution : Shufunotomosha

We would like to thank all the artists that contributed to this book.

édition PAUMES   ジュウ・ドゥ・ポウム

ジュウ・ドゥ・ポウムは、フランスをはじめ海外のアーティストたちの日本での活動をプロデュースするエージェントとしてスタートしました。
魅力的なアーティストたちのことを、より広く知ってもらいたいという思いから、クリエーションシリーズ、ガイドシリーズといった数多くの書籍を手がけています。近著には「フィンランドのアパルトマン」や「東京のおうちアトリエ」などがあります。ジュウ・ドゥ・ポウムの詳しい情報は、www.paumes.comをご覧ください。

また、アーティストの作品に直接触れてもらうスペースとして生まれた「ギャラリー・ドゥー・ディマンシュ」は、インテリア雑貨や絵本、アクセサリーなど、アーティストの作品をセレクトしたギャラリーショップ。ギャラリースペースで行われる展示会も、さまざまなアーティストとの出会いの場として好評です。ショップの情報は、www.2dimanche.comをご覧ください。